AF497721

Schwäbisches Museum.

Herausgegeben

von

Johann Michael Armbruſter.

Erſter Band.

O ſchöne Mein! Ich liebe Dich, mein Vaterland!

Kempten,
Gedruckt und verlegt von der typographiſchen Geſellſchaft.
1785.

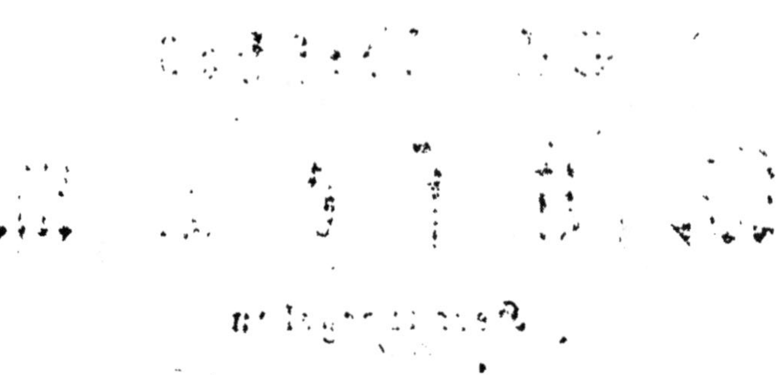

Seinen

biedern Landsleuten

Herrn Regierungsrath Huber in Tübingen.

Herrn Profeßor Abel in Stuttgardt.

Herrn Profeßor Seybold in Buchsweiler.

Herrn Profeßor Affprung in Heidelberg.

Herrn Profeßor Pizenberger in Konstanz.

Herrn Weckhrlin in Nördlingen.

gewiedmet

vom

Herausgeber.

Statt der Vorrede

Aus einem Briefe an den Herausgeber des
Museums

Ihr schwäbisches Museum wird also, denk' ich,
Aufsätze enthalten sollen, die für Schwaben
vorzüglich interessant sind. — Es ist nicht genug, daß
diese nach dem Plan des schweizerischen Museums,
der mir neulich zufällig in die Hände gefallen ist, über
Schwaben oder von Einwohnern Schwabens geschrieben seyen: dann bey all dem könnte ihre Monatschrift
herzlich uninteressant bleiben. Man schreibt zuweilen
Ergözlichkeiten, die keine Ergözlichkeiten sind, und
ein schwäbisches Magazin, das eine Hypothese über
die Hypothese von der Dreyeinigkeit liefert; und ein
Verzeichniß der Kandidaten der Philosophie, die auf dem

Katheder zu Tübingen bey Vertheidigung einer Disputation, die sie nie gelesen haben, jährlich Pantomime zu spielen gewohnt sind, ist ein armseliges Magazin. Und so könnte man Ihnen, wie weiland Schiller dem guten H—, nicht eher Gnade wiederfahren laßen, als bis sie versprächen, aufzuhören. —

In so weit ists blos ihr öconomischer Vortheil, der bey der Sache interessirt ist. Aber ich kenne sie zu gut, als daß ich hierinn den Beweggrund Ihres Unternehmens suchen sollte. Das Amt des Schriftstellers ist eines der [ehrenvollesten im Staat und seine Verpflichtung eine der wichtigsten. Daß Skribler an dieser Verpflichtung so oft meineidig werden, und ein Pöbel von Publikum so oft jene Würde verkannt, das macht diese Wahrheit noch nicht zur Lüge. Der große Schriftsteller wirkt, wie der große Kaufmann, am weitesten, am unabhängigsten und am verborgensten. Dieser auf den politischen, jener auf den sittlichen Wohlstand, jener mit Wahrheiten, so wie dieser mit Waaren. Ein Graf von Fries verschaft jährlich einigen tausend Menschen den Unterhalt und rettet einige vielleicht vom Hungertod. Ein Schlözer verschaft einigen tausend grössere Freyheit im Denken, und rettet die Inquisiten zu Sulzbach und Amberg vom Justizmord. Freylich wahr, und in dieser besten, besonders teutschen Welt, nur zu oft Thatsache, daß, wie tolle Finanz und Mauthgesetze oder Privatneid dem Kaufmann, so tolle Censurgesetze oder Privatneid dem Schriftsteller, seinen Debit rauben, oder seinen Wirkungskreis verengern, und in diesem Fall wird der Kaufmann häufig genug zum Krämer oder zum Banqueroutier, und der Schriftsteller zum unbedeutenden Compilator oder; zum Schmeichler und Schurken.

Dessen ungeachtet ist ohne Zweifel mein Glaubensbekenntniß auch das Ihrige: Der Schriftsteller, der bloß ums Brodt schreibt, ist dieses Namens nicht werth:*) der Schriftsteller, der blos belustigen will, verkennt seine Würde: will er seine Bestimmung erfüllen, so muß er wirken, d, h. er muß thätigen Antheil nehmen an der wirklichen Verbesserung seines Publikums.

Man braucht eben nicht mißvergnügt oder mißgünstig zu seyn, um von dem süssen Wahn glücklicher Selbstzufriedenheit zurückzukommen, daß überall alles gut sey! Und so wäre es dann möglich, daß auch in Schwaben gewissen Augen gewisse Mängel sichtbar würden, die sich bisher in einer bequemen Dämmerung verborgen hälten. Zwar giebt es gewisse Ungereimtheiten, auf die jeder mit der Nase stossen könnte. Allein diese sind dann meistens heilig! — — — — Nun machen Sie als Herausgeber eines schwäbischen Museums nach jenen Voraussetzungen sich verbindlich zu Verbesserung Schwabens, so viel an Ihnen ist, mitzuwirken,

---

*) Aber. Lieber Herr, welcher unter uns, schreibt, liest, predigt, tauft, begräbt, kunstrichtert, scharfrichtert, macht seelig und verdammet — sezt und druckt, kurz — handelt nicht um's Brod? Dieß schließt andere höhere Absichten seines Berufs noch lange nicht aus, und in diesem Fall ist Ihr Glaubensbekenntniß nicht das Meinige. D. H.

folglich das lächerliche oder ungereimte zu verdrängen, sey es dann im Thorstübchen der Reichsstadt * * * *, oder im Rangir-Saal der K. U. zu St. und das schädliche in seinen schlimmen Einflüssen zu hemmen. Versteck' es sich dann unter das Sonntags-Wams eines Dorfschulzen oder unter den Mantel und Priesterkragen eines Ehrwürdigen theologischen Kollegiums.

Dazu giebt es nun zwey Wege. Und der erste ist: Darstellung des ungereimten oder schädlichen durch Gründe oder Unterricht. Aber lieber Himmel! was köynten Sie, oder Ihre allenfallsige Mitarbeiter, die, wenn vielleicht auch zünftig, doch schwerlich Zunftmeister sind, jenen weisen Herren neues sagen? —

Ueberhaupt hat man's in solchen Fällen eben nicht immer mit dem Verstand zu thun, sondern der Fehler sizt an einem ganz andern Fleck, und der Theil des Publikums, der schlechten Menschenverstand hätte, Unterricht anzunehmen und guten unbestochenen Willen, ihn zu nützen, ist wohl auch meistens der, der ihre Monatschrift nicht liest, oder der auf Verbesserungen keinen Einfluß hat. Die andern wissen Moral und Naturrecht aus ihrem Kompendium nach Distinktionen und Divisionen — auswendig. Man übersieht Ihre Gründe mit einer vornehmen richterlichen Mine, und legen Sie's den Leuten gar zu nahe, so verkezert man Sie.

Der andere Weg ist Darstellung durch Geschichte, entweder erdichtete, mit Erdichtungen wenigstens verwebte und dann ist's Satyre, oder simple, treue Erzählung eines wirklichen Faktums.

Die Satyre wäre in der That ein trefliches Mittel, Thorheiten und Mißbräuche zu heilen, wenn die Men-

schen keine Eigenliebe hätten. — Weil die Satyre als
Poesie ihren Originalen oft stärkere und häßlichere Züge
leicht, als Sie in der Natur haben, so muß sie die-
selben der Gerechtigkeit gemäß, auch verschleyern: oder
sie mischt Farben und Lineamente verschiedener Originale
untereinander und bildet daraus ein neues! — In beyden Fällen hat die Eigenliebe Spielraum genug durch-
zuschlüpfen, und wäre es nur durch die unmerklichste Ri-
zen: — das bin ich nicht, sagt der Thor, und wenn er
sich aufs sprechendste getroffen sieht: denn ich trage ja eine
Frisur à la herisson und der im Bilde trägt eine Ver-
gette: oder wenn er nicht mehr durch kann, so beklagt
er sich über Unrecht. Es wäre freylich lächerlich,
sagt er, wenn ich, wie jener Dorfschulmeister, aus
Ciceros Episteln beweisen wollte, daß der Mensch
sterblich sey: aber ist dann das Büchlein Tobiä Ciceros
Episteln? Wenn der Rektor in Rabeners Satyren
eine Aphtonianische Chrie zum Formular seines Liebes-
briefs nimmt, so lacht er darüber: aber das ist
ihm nicht lächerlich, wenn man behauptet, Gott
nehme die dogmatische Chrie de gratia applicatrice zum
Formular seines Bekehrungsgeschäftes — Dieser Schurke
bin ich nicht, denkt der Verleumder. Jener hat ohne
alle Ursache gelästert: — Bey mir stehn Ansehn und Eh.
auf dem Spiel, wenn ich meinem Nebenbuhler nicht
eines verseze. Darf ich mich nicht meiner Haut wehren?
Mit einem Wort: in der Satyre sehen die wenigsten
sich selbst, sondern immer nur andre, und sinds immer zufrieden, daß sie besser seyen, als „da dieser
Zöllner.“ Es ist unbegreiflich, wie weit beynahe durchaus bey uns armen blinden Adams Kindern Nicht-
kenntniß unsrer Selbst geht. Ich habe den eitelsten

Gecken mit der unbefangensten Selbstgenügsamkeit schon
sich rühmen hörem, daß er von keinen Fehler sich so
frey wiße, als von Eigenliebe, und ein Weib, die nach
dem allgemeinen Urtheil die giftigste Zunge in der ganzen
Stadt hat, dankte neulich Gott, daß er sich noch immer vor dem Laster der Verleumdung bewahrt hätte.
Der zweckmäßigste und klügste, aber auch der gefährlichste Weg — Thorheiten und Verbrechen, die sonst
ungestraft geblieben wären, für Zukunft zu verhüten,
oder drauf aufmerksam zu machen, ist ihre öffentliche
Ausstellung nach einer treuen vollständigen Erzählung. Mögen zehnmal kraftlose Anspielungen oder
Klagen wie Irrlichter durch die Nacht leuchten; diese
Eulen blinzen vor ihrem Schein die Augen zu, bis er
vorüber ist; nackte, schmucklose Wahrheit ist das Son-
nenlicht, das sie in ihren Hölen entdeckt, oder: wenn
sie sich herausgewagt haben, sie blendet: dann umflattert sie
jeder nicht lichtscheue Vogel mit Geschrey; man verfolgt sie, man verspottet sie; man hackt sie für ihren
zivilen Wirkungskreis nemlich, zu Tode. Oft giebt es
auch gewiße Thorheiten und Mißbräuche, über deren
Lächerlichkeit man wegen ihrer Verjährung und der
Gewohnheit, sie mit andern ehrwürdigen Observanzen
in Verbindung zu sehen, bisher aus einer gewißen Un-
achtsamkeit hinübergeblickt hat. Hier bedarf es blos
einer nähern Beleuchtung, um sie verschwinden zu machen. Grade so hatten bisher die Märchen von der
Päbstin Johanna und von bösen Dämone ꝛc. Plaz, unter
den weltlichen und geistlichen Regenten gefunden, bis
man die Fackel der Kritik und der Menschenvernunft
an sie hin hielt, und jeden Unbefangenen in Erstaunen
sezte: daß die Welt bisher so blind seye und solchen Un-

sinn hätte glauben können. Freylich der eifrige Ge-
genpäbstler wird immer noch aus der Apokalypse erweisen, daß jene Geschichte wahr sey, und der Ortho-
doxe wird immer noch an seinen chaldäischen Teufel
glauben, weil er Christus hochzuehren wähnt, wenn
er ihm gerade nicht mehr Philosophie zutrauete, als
er selbst hat.

Ich sage: nackte, schmucklose Erzählung ist der
kürzeste und der zweckmäßigste Weg, weil es hier
durchaus keinem mehr möglich ist, mit sehenden Augen
blind zu seyn. Wenn folglich ein kleiner unwissender
Pascha seines Herrn Unterthanen druckt, so nenne
man seiner Namen, und erzähle die Geschichte kurz
und richtig. Wenn, wie ja doch zuweilen der Fall seyn
könnte, irgend eine Reichsstadt oder ein Landeskollegium
eine schiefe Verordnung erläßt, so theile man sie auch
in Druck dem ganzen Publikum mit; wenn solches ja
eben so möglich wäre, irgend ein kleiner oder grosser
Landesvater allergnädigst und allergerechtest eine
Ungerechtigkeit begeht, so vermelde man's zu unter-
thänigsten Ehren, und es ist wenigstens so viel werth,
als wenn die Welt erfährt: daß Seine fürstliche Hoheit sich um 2 Uhr zur Tafel, oder Nachts um 11 Uhr
in das Palais Höchstdero — Freundin erhoben haben.
Es ist, wie Sie sehen, nicht die Rede von dem, was
geschieht, sondern nur von dem, was geschehen könnte,
und so erlauben Sie mir, in meiner Theorie fortzufahren. — In den meisten Fällen wird nichts nöthig seyn,
als blosse, so viel möglich, aktenmäßige Darlegung der
Umstände. Pragmatische Erzählung mit Entwick-
lung der Bewegründe, Veranlassungen und Folgen
würd' ich nur dann rathen, wenn die Moralität oder

die Schicklichkeit und Unschicklichkeit einer Handlung minder klar in die Augen fällt.

Es wird hier, auch dem Unbefangenſten ſchwer, nie= mals Schlüſſe für Erfahrungen zu geben, und alle un= juridiſche Untiefen zu vermeiden, wo er in der Folge mit ſeinen Beweiſen auf den Grund zu ſizen kommen könnte. Bitter ohnehin, niemals als bey der ausge= machteſten Schurkerey, aber auch lächerlich möcht ich ſolche Gegeſtände ſelten behandelt ſehen.

Publizität iſt die furchtbarſte Feindin der Dum= men oder der ſchurkiſchen Heuchelei und des Despotis= mus. Schlözer verdient Ehrenſäulen, daß er zuerſt Teutſchland gezeigt hat, es gebe noch ein ſichtbares Tribunal, vor dem kleine und groſſe Tyrannen zittern müſſen, auſſer jenem unſichtbaren, das ſie gewöhnlich nicht achten: denn wenns ihnen auch nicht um wahre Ehre oder Schande zu thun iſt, ſo halten ſie wenig= ſtens auf ihrer — wenn auch nur kanzleymäßige — Exiſtimation — Eben ſo iſt dem Thoren nichts unerträg= licher, als wenn er ſich in ein lächerliches Licht geſtellt ſieht, und wenns ihm ſchon aus innern Gründen un= möglich iſt, ſich wirklich zu beſſern, ſo wird er's doch dem Anſchein nach thun, weil er kein Thor ſeyn will. Auch Goekingk, Wekhrlin und Winkopp verdienen ſchon aus dieſem einzigen Grund unſere Ach= tung und Dankbarkeit.

Solche Männer ſind unter gewiſſen Umſtänden die Schutzengel der Nation. Unſer liebes Schwabenland

Hat ihnen verhältnißmäßig sehr wenige Beyträge geliefert; ist dieß nicht ein sprechender Beweiß von unserm
glücklichen Zustand und unserer Aufklärung? Sie leug-
nen vielleicht diesen Saz — oder sie invertiren ihn sogar,
sie sagen vielleicht; es könn' eben so gut Beweiß seyn,
von träger, dummer Unempfindlichkeit, oder von furcht-
samer Sklaverey, oder von einer Selbstgenügsamkeit,
die eben kein Zeichen tiefer Einsichten ist — Dieß
Problem soll auch, hoff ich, ihr schwäbisches Museum
auflößen. Jeder wenigstens, der sein Vaterland liebt
und glücklich wünscht, hat nun einen Beruf mehr,
auch auf diesem Weg daran zu arbeiten.

Allerdings werden aber diejenigen, die am ersten
ihn betreten sollten und könnten, am ersten ihn scheuen,
denn er ist — auch der gefährlichste. Der Dey von
Algier würde sich zwar gewaltig die Stirne reiben,
wenn einer seiner Eynuchen so ganz naiv ihm sagen
wollte: du bist ein Bluthund! aber den guten Eynuchen würd' er dafür spiessen lassen. Und sein rechtgläubiger Iman würde sich zwar mächtig entrüsten,
wenn er von einem türkischen Layen hörte, seine ganze
Polemik gegen die Aliten sey Wahnsinn, aber den
Gotteslästerer würde er im Namen Allahs und seines
Gesandten versuchen, und falls er seiner habhaft werden könnte, zu liebreicher Zurechtweisung ihn ein bisgen im Mörser zerstossen. Freylich ist's auch nicht gerade eine solche Offenherzigkeit, die man verlangt, davon nicht zu reden, daß wir Gottlob keine Dey's und
keine Imane in Schwaben haben. Folglich ist auch bey
uns die Gefahr nicht so groß, wie sie allenfalls in der
Türkey seyn mögte, wo man keine Pressen hat.

Indeſſen iſt ſo viel richtig, daß auf dieſem, ſeiner Natur nach, durchaus ſchlüpfrichen Wege, die alleräugſt lichſte Vorſicht nöthig iſt; ich will mich jezt nicht darauf einlaſſen, wie leicht dadurch die Ehre ſo manches recht ſchaffenen Mannes angegriffen und untergraben werden könnte; ſobald es einem ſeichten Knaben oder einem gewiſ ſenloſen Buben einfiele, ſeine Kräfte an ihr zu verſuchen, und von hinten zu ihr beyzukommen; Und daß ein ſolches Brandmal, ſo gemeiniglich ſich zu tief einfrißt als daß es ſelbſt durch öffentlichen Widerruf ganz ver tilgt werden könnte. Aber ſelbſt dann, wenn das Fak tum ſeine vollſtändige Richtigkeit hat, würd' ich ihnen rathen, nur mit der äuſſerſten Behutſamkeit es vor zulegen.

Iſt ihre Erzählung von der Art, daß ſie gewiſſe Per ſonen namentlich trifft, ſo iſts natürlich, daß dieſen der Stich bis ins Mark dringt. Sie werden laut ſchreyen, ſo bald ſie nur mit irgend einer Dämmerung von wahrſcheinlichem Erfolg es thun können; Können ſie dieß nicht, ſo werden ſie freylich — ſchweigen, und entweder den Großmüthigen oder den Unverſchäm ten ſpielen: aber um ſo giftiger wird das Gift in ihrem Innern kochen, und ſie werden nur auf Gelegen heit lauren, es loszuſprützen.

Furcht und Eigennuz wird bald auch andere an ſie anſchlieſſen, und ſo entſteht ein allgemeines Komplot, das unter der Decke des Geheimniſſes fortſchleichen, und wenn Sie's am wenigſten vermuthen, losbrechen wird. Auch dann, wenn gewiſſe Mißbräuche oder Thorhei ten bloß im Allgemeinen gerügt worden, iſt der Fall beynahe gleich. Denn dem Prinzip von hinreichendem Grunde zu Ehren müssen wir annehmen, unter solchen Umständen sind' immer irgend ein Schurke seinen geheimen Vortheil, oder irgend ein Dummkopf seine Behaglichkeit.

So beleidigen Sie, ohne daß Sie's wollen, und wissen, Personen, von deren Existenz Sie vielleicht niemals etwas vernommen haben. Und in der That sind Sie in diesem Fall noch schlimmer dran, als im ersten, weil es Ihnen durchaus unmöglich ist, Ihre Feinde zu kennen und zu vermeiden. Ihre Feinde, sage ich, wenn Sie gleich an all diesem Jammer — kaum halb oder gar nicht schuldig sind. Denn das Kind schlägt den Boden, auf dem es durch eigne Unvorsichtigkeit fiel, und der Hund beißt in den Stein, mit welchem nach ihm geworfen wird. Mit einem Wort, ich möchte weder an Ihrer, noch an derjenigen Stelle seyn, von welchen man weis, daß sie Ihre Freunde sind. So sehr ich hoffe, daß Sie mich auch darunter zälen, und so sehr ich mir dieses zur Ehre rechne, so muß ich doch, weil ich den Frieden und die Ruhe liebe, Sie bitten, daß dieß unter uns bleibe.

Nun wissen Sie, was man thun wird? Als captatio benevolentiæ wird man Ihren Charakter in das gehörige Licht stellen. Man wird Ihre Tugenden zu Schwachheiten, Ihre Schwachheiten zu Fehler, Ihre Fehler zu Verbrechen erniedrigen, und man wirds überall glauben, einige aus Eigennuz, einige überhaupt schon, weil Sie es wagen, Schriftsteller zu seyn: — oder weil sie anders zu denken und zu handeln gewohnt sind, als Sie. Denn es ist eine Erfahrung, die man beynahe täglich machen kann, daß die meisten Schwachköpfe den Grund der Verschiedenheit der Meynungen im verderbten Herzen ihres Gegners suchen, woraus sich dann unter andern auch ein Schluß für den Saz ziehen ließe, daß ein schwacher Verstand und ein fester Wille, nicht wohl koexistiren können; denn der Pöbel im moralischen Sinn hat aus Mangel an Beobachtungsgeist keinen andern Maasstaab für andre als sich selbst: wenn er nur bey andern die Quelle ihrer Denkungsart immer im bösen Herzen sucht, wo muß er sie bey sich selbst finden? Auch eine andere Erklärung giebt das nemliche Resultat. Es ist ihm nemlich unbegreiflich, daß andere, denen er doch fünf Sinne zutraut, eine Sache anders sollen ansehn können, als Er. Sie müssen sie also nur anders ansehen wollen. Folglich liegt der Fehler in ihrem Herzen. Folglich muß er sie hassen, verabscheuen, verfolgen, köpfen, hängen, verbrennen. Dieß ist die Geschichte aller Intoleranz von Galilei an, der die Bewegung der Erde abschwören muß, bis zum berüchtigten D. Bahrdt, der aus Teutschland vertrieben ward. Und so bleibt immer richtig: allgemeines Wohlwollen kann niemals Prädikat eines beschränkten Verstandes seyn! Doch ich bin da ausgeschweift, wie ich sehe. Das andere wird seyn, daß man aus der noch so richtigen und aktenmäßigen Erzählung einen vielleicht unbedeutenden halbwahren Umstand heraushebt, zur Lüge und Verleumdung verdreht, ins möglichst — helle Licht stellt, und so auf die Richtigkeit der ganzen Geschichte den schwärzesten Schatten wirft. Gehn Sie Schlözers Staatsanzeigen durch, und sammeln Sie sich die oft lächerliche Belege zu dieser Behauptung. — Das heißt freylich nach einer eigenen Logik zu Werke gehn. Aber es giebt von Logik gar verschiedene Modifikationen, und darunter sind diejenige wohl die sonderbarsten, wenn schon die begreiflichsten, wo man sie aus der Idee des Eigennuzes deduzirt wie Oetinger seine Theologie idea vitæ.

Nun ist dieß, besonders in Gegenden, wo noch so wenig Publizität ist, wie in Schwaben, und bey Sachen, die nie aktenmäßig verhandelt werden, und nicht juridisch im strengsten Verstand, sich erweisen lassen, durchaus unvermeidlich. Urtheilen Sie also, wenn man auch nicht den Prozeß vor der Exekution anfängt, wie unzählige Unannehmlichkeiten Sie sich und Ihre Freunde aussezen

Endlich, wenn man auch gar nichts einzuwenden hätte, so wäre doch wahrscheinlich der beleidigte Theil nicht selten auch der mächtigere, und wo hätt' es jemals eine Gesellschaft gegeben, wo nicht in praxi wenigstens, das Recht des Stärkern, Grundgesez gewesen wäre? Oder was ists überhaupt anders, als aufs höchste gedehntes Recht des Stärkern, wenn dem Mitglied einer Gesellschaft zum Verbrechen gemacht wird, seine Meynung über Angelegenheiten dieser Gesellschaft frey heraus zu sagen, selbst dann, wenn er irren sollte? —

Indessen so ists, und Sie mein Herr! und vielleicht selbst diejenige, die in Verdacht stehn, Ihre Freunde zu seyn, werden endlich das Opfer *) werden

b

---

*) Von diesem schüzt mich meine Lage — und meine Freunde die Eydgleiche Versichrung, daß ich Sie nicht nennen werde, auch wenn — man auf die physische oder moralische Folter spannen würde! v. H.

Sie sehn, daß mein Brief eine ganz andere Wendung genommen hat, als Sie sich, da Sie die ersten zwey Seiten lasen, wohl vorgestellt haben mochten. Indessen enthält er nichts weniger als einen Widerspruch, sondern bloß die Alternative: Entweder müssen Sie gar kein schwäbisches Museum herausgeben, oder Sie müssen's für Schwaben so intressant als möglich machen. Um aber diesen Zweck zu erreichen, ist's nicht genug, daß Sie einigen jungen „Schenies" durch Aufnahme und vielleicht unverdientes Lob ihrer Reimereyen die Köpfe verrücken, oder Auszüge aus Universitäts-Programmen sich zuschicken lassen, oder den Adreßkalender abschreiben, oder Herrn Stäudlins Musenallmanach ins Handwerk greifen: es liegt sogar weniger dran, eine Disertation über den Namen des bey Köngen im wirtembergischen neu entdeckten römischen Winterlagers zu lesen, als einige richtige Daten von der Ausgabe des neuen Gesangbuchs in eben diesem Ländchen zu erhalten. Und manchem wird selbst eine Beschreibung der kostbaren Bibelsammlung, die durch die Vorsorge des Herzogs jetzt Stuttgardt ziert, minder willkommen seyn, als eine gründliche Entwiklung der Ursachen des verminderten Geldumlaufs, oder eine pragmatische Beschreibung unsrer mindern und höhern Erziehungsanstalten, die schon Hermes in seinem Roman und unsonst gewünscht hat. — Diesen Zweck nun, sehn Sie wohl, können Sie nicht anders erreichen, als wenn Sie die Bahn betreten, die ich Ihnen beschrieben habe. — Wie rauh und wie dornigt sie sey, hab' ich Ihnen und mich dünkt — überzeugend gezeigt: —

Wählen Sie nun! — —

Ich weiß, was Sie wählen werden: Sie werden
Wirksamkeit und Gefahr wählen, und — im Namen aller gütigen Mächte des Schicksaals wagen Sie's!
aber eine Warnung wäre dann doch nöthig, und
eine Erinnerung an jene Fabel vom Fuchs, der die
Fußstapfen in die Höhle des Löwen alle nur Ein-
wärts gehen sah. Man sagt ohnehin daß Ihr Tem-
prament ein wenig rasch sey! Aber glauben Sie, Sie
fahren besser als Fabius, wenn Sie immer eine
Hauptschlacht vermeiden, und nur hier und da Ihren
Feinden, dem Aberglauben, der Dummheit und dem
Despotismus, vielleicht zwar nicht sehr bedeutende,
aber ohne zu wagen, desto gewisser Abbruch thun;
Sonst fechten Sie niemals mit gleichem Glück.

Ich habe bis jetzt immer nur von den Mängeln
gesprochen, die Sie aufzudecken haben würden, und so
scheint es: ich verkenne das Gute ganz, worinn Schwaben theils im Ganzen, theils in einzelnen Distrikten, sich
auszeichnet. — Nein, mein Herr! machen Sie Jagd
auf alles, was Sie in Ihrem Vaterlande lobenswür-
diges finden: Loben Sie, ermuntern Sie! das ist Ihre
erste Pflicht, und bloß deßwegen hielt ichs eigentlich
für unnöthig, Sie dran zu erinnern. Von welcher
schönen Seite können Sie zum Beyspiel den Herzog
von Wirtemberg der nun in philosophischer Ruhe
von dem Geräusch und den Zerstreuungen des Hofes
sich erholt, und es sich zur Ehre rechnet, der erste
Landwirth in seinen Staaten zu seyn — oder den guten Margrafen von Baden darstellen, dessen erster
und lezter Gedanke: daß er der Vater seiner Unterthanen sey, zwey Fürsten, die Sie, wenn ich nicht

irre — persönlich kennen? Ist es nicht genug, in einem Kreise Teutschlands zwey so vorzüglich sich auszeichnende Prinzen zu finden?

Endlich mein Herr! versteht sich von selbst, daß ich blos unterhaltende Aufsätze von Ihrem Museum keinesweges ausgeschlossen wünsche, auch giebts ausser jenen Arten von Wirksamkeit noch viele andre, Nuzen zu stiften. — Machen Sie's, so gut Sie können, und Ihrer Monatschrift Motto sey:

utile dulci!

Wolfram von Eschilbach.

Was ich mit dem Publikum über das schwäbische Museum zu reden habe, werd' ich im zweyten Bande, der bis Ostern ganz gewiß erscheint, sagen. Manchen wichtigen Aufsatz mußt' ich aus dem ersten Band verweisen, weil — er nicht aktenmäßig, und die Zeit zu kurz war, nähere Kunde einzuziehen. Nur mögt' ich noch allen den biedern Männern, die sich an mich anschlossen, für Ihre Beyträge und Nachrichten öffentlich danken. Nachrichten und Aufsäze über folgende Rubriken, die das Publikum — indessen statt eines Planes annehmen wird — werden mir höchstwillkommen seyn.

I. Thatsachen, zur Geschichte der politischen und religiosen Aufklärung Schwabens.

a) Wirkungen, Thaten des großen und kleinen Despotismus, der Intoleranz, des Aberglaubens, der politischen und religiosen Stupidität, der Möncherey, des Fanatismus; — Unterdrückungen der niedrern Klassen der Menschheit, — kurz, Alles was mehr oder weniger Elend der Menschheit mehrt.

b) Aber nicht allein Flecken, Pokennarben und Muttermähler unsers Vaterlands wünscht' ich gezeichnet. Willkommen sey — mir also die Kunde von jeder That, die Beweis ist emporstrebender Aufklärung, Toleranz, Denkens Freyheit, vernünftigerer Religion und Gerechtigkeit: Jede Ausrottung irgend einer heiligen Spiegelfechterey, jede Handlung, die der Nacht, die noch auf einem großen Theil Schwabens ruht, entgegen arbeitet, und Licht zu verbreiten sucht — jede Abschaffung irgend einer Tyranney, die die Geseze geheiliget haben ꝛc. ꝛc. ꝛc.

Ich wünschte, daß alle Nachrichten dieser Art, aktenmäßig belegt würden. Ich gebe jedem meiner Korrespondenten die feyerlichste, Eydgleiche Versicherung, daß auch die strengsten Inquisitionen mir keinen Namen irgend eines meiner Korresp. entzwingen sollen. Alle bedeutende Aufsäze werden von mir selbst abgeschrieben, und die Originale verbrannt oder zurück geschickt.

Ich bitte meine Korrespondenten, mir alle Edikte, Reskripte, Verordnungen, Hirtenbriefe, die in ihrer Gegend erscheinen, und Bezug auf diese Rubrik haben, so wohl als kleinere Broschüren und fliegende Blätter — zu zusenden, wenn sie zu Beleuchtung irgend eines der obigen Artikel dienen. Ueber das Jahr 1780. darf keine Nachricht hinaufsteigen.

II. Erziehung.

Nachricht von öffentlichen Schul- und Erziehungs-Anstalten — Privaterziehung — Schulbüchern — die in Schwaben samt und sonders nach einer radikalen Verbeßerung schreyen. Vorschläge zur Verbeßerung.

III. Biographieen verdienter Männer Schw., älterer und neuerer Zeiten, die entweder nicht bekannt sind, oder in unverdienter Vergessenheit schlummern ꝛc. seyen es nun Gelehrte, Künstler oder Handwerker und Landleute.

IV. Nachrichten von Zustand der Litteratur, Kunst des Theaters, der Industrie in Schwaben.

V. Vermischte Aufsäze: Kleinere Reisen durch schwäbische oder an Schwaben gränzende Provinzen. — Beyträge zu Beleuchtung der schwäbischen Geschichte; Nachrichten von Volksfesten, Nationalgebräuche, gemeinnüzige Abhandlungen aus der Philosophie, Naturgeschichte, Oekonomie — Vorschläge zur Verbesserung politischer und kirchlicher Mängel Schw. hauptsächl. zur Hemmung des Bücher = Nachdrucks, der zur Schande Schwabens seine Räuberhöhle in unserer Mitte hat. — Dramatische Aufsäze aus der vaterländischen Geschichte. Gedichte werden nur in dem Fall Plaz finden, wenn sie — keine Probstücke sind.

VI. Rezensionen wo möglich der hauptsächlichst in Schwaben erscheinenden Schriften. Dieser Artikel wird erst mit dem zweyten Band seinen Anfang nehmen.

VII. Nachricht von Todesfällen, Beförderungen bekannter Gelehrten und Künstler, Ankündigungen, Anfragen ꝛc. ꝛc.

Wer mit mir in förmlicher Korrespondenz steht, frankirt seine Briefe nicht, und meldet mir halbjährig seine Auslagen z. E. für Abschreibegebühren, Broschüren, die Er mir zusendet — Wer mir das erstemal schreibt, ist gebeten, seine Briefe bis Schafhausen zu frankiren. Wem von meinen Korrespondenten die Typographische Gesellschaft in Kempten näher ist, addressirt seine Briefe mit der Note: für den Herausgeber des schwäb. Museums dahin. Jeder meiner ordentlichen Korrespondenten erhält ein Freyexemplar. —

Der Himmel erhalte uns Allen Muth, Gesundheit, und freye Luft. Und damit bis auf Wiedersehen Gott befohlen.

Zürich.
Im Oktober 1785.

Johann Michael Armbruster.

Szenen

aus

Iphigenie in Tauris,

Einem ungedruckten Trauerspiel

von

Göthe.

Erste Szene des ersten Akts.

Iphigenie allein.

Heraus in Eure Schatten, ewig rege Wipfel
Des heilgen Hayns, hinein ins Heiligthum
Der Göttinn, der ich diene, tret' ich mit immer
         neuem Schauer —
Und meine Seele gewöhnt sich nicht hieher!
So manche Jahre wohn' ich
Hier unter Euch verborgen!

1. B.

Und immer bin ich, wie im ersten, fremd ....
Denn mein Verlangen steht
Hinüber nach dem schönen Lande
Der Griechen!
Und immer mögt' ich über's Meer hinüber
Das Schicksal meiner vielgeliebten theilen.
Weh dem, der fern von Aeltern und Geschwistern
Ein einsam Leben führet!
Ihn läßt der Gram des schönsten Glückes nicht ge-
nießen!
Ihm schwimmen abwärts die Gedanken
Nach seines Vaters Wohnung,
An jene Stellen, wo die goldne Sonne
Zum erstenmahl den Himmel vor Ihm aufschloß;
Hin, wo die Spiele der Mitgebohrnen
Die sanften, liebsten Erdenbande knüpften .....
Der Frauen Zustand ist der schlimmste
Vor allen Menschen!
Will dem Mann das Glück, so herrscht Er,
Und ersicht im Felde Ruhm;
Und haben Ihm die Götter Unglück zubereitet,
So fällt Er ...
Der Erstling von den Seinen
In den schönen Tod ...
Allein des Weibes Glück ist enggebunden;
Sie dankt Ihr Wohl stets Andern, öfters Fremden,
Und wann Zerstörung ihr Haus ergreift,
Führt Sie aus rauchenden Trümmern
Durch der Erschlagnen Liebsten Blut
Der Ueberwinder fort!
Auch hier an dieser heilgen Stätte
Hält Thoas mich in ehrenvoller Sklaverey!

Wie schwer wird's mir, die wildem Willen dienen,
O Ewig reine Göttin, Retterin,
Dir sollte — die mein Leben
Zum ewgen Dienst geweyht seyn!
Auch hab ich stets auf dich gehofft,
Und hoffe noch, Diana! Die du mich —
Verstoßne Tochter des größten Königes
In deinen heilgen sanften Arm genommen!
Ja? Tochter Jovis,
Hast du den Mann, deß Tochter du fordertest,
Hast du den Göttergleichen Agamemnon,
Der dir sein Liebstes zum Altare brachte,
Hast du den glücklich von dem Felde
Der umgewandten Troja
Zurück begleitet?
Hast du meine Geschwister
Elektra und Orest, den Knaben,
Und unsre Mutter, Ihm zu Hause
Den schönen Schatz bewahret;
So rette mich —
Die Du vom Tode mich gerettet
Auch von dem Leben hier
Dem zweyten Tode!

Iphigenie, Orest.

Iphigenie.

Unglücklicher! Ich löse deine Bande
Zum Zeichen eines schmerzlichen Geschicks —
Die Freyheit, die ich gebe,
Ist wie der lezte, lichte Augenblick
Des schwer erkrankten —
Des Todes Vorboth!
Noch kann und darf ich mir's nicht sagen,
Daß ihr verlohren seyd!
Durch meine Hand sollt Ihr nicht fallen!
Und keine andre darf Euch,
So lang ich Priesterinn Dianens bin, berühren,
Allein das Priesterthum häng von dem König ...
Der zürnt mit mir,
Und seine Gnade mit theurem Abgeld
Euch zu erhandlen, versagt mein Herz;
O werther Landsmann — Jeder Knecht
Der an dem Heerd der Väter nur gestreift,
Ist uns im fremden Land so hoch willkommen —
Wie soll ich Euch genug mit Ehr und Lieb umfaßen?
Die Ihr von keinem niedern Haus entsprungen,
Durch Blut und Stand an jene Helden gränzt,
Die ich von Aeltern her verehre.

Orest.

Verbirgst Du deinen Stand und Namen
Mit Fleiße? Oder darf ich wißen,
Mit wem ich rede?

Iphigenie.

Du sollst es wißen! Izo sag mir an,
Das Schicksal derer, die von Troja zurück
Mit ungnädigem Gott ihre Heymath betraten!
Jung bin ich hieher gekommen...
Doch alt genug, mich jener Helden zu erinnern
Die gleich den Göttern in ihrer Herrlichkeit gerüstet
Dem schönsten Ruhm entgegen giengen.
O sag mir! Fiel der große Agamemnon
In seinem eignen Haus durch seiner Frauen List?

Orest.

So ist es, wie du sagst.

Iphigenie.

Unseeliges Myzen! So haben Tantals Enkel
Den Fluch, gleich einem unvertilgbarn Unkraut
Mit voller Hand gesät, und jedem ihrer Kinder
Wieder einen Mörder! —
Zur ewgen Wechselwuth erzeugt!
O sag mir an:
Wie ist des großen Stammes lezte Pflanze,
Den Mordgesinnten
Ein aufkeimender gefährlicher Rächer,

Wie ist Orest dem Schreckenstag entgangen?
Hat ihn ein gleich Geschick in des Avernus
Schwarzes Netz verwickelt?
Hat Ihn ein Gott gerettet?
Lebt Er, lebt Elektra?

Pyl.

Sie leben....

Iphigenie.

O goldne Sonne! Nimm deine schönsten Strahlen
Und lege sie zum Dank vor Jovis Thron,
Denn ich bin arm und stumm....

Orest.

Wenn du Gastfreundlich diesem Hause
Verbunden bist,
Wie ich aus deiner schönen Freude schließe,
So halt dein Herz fest, denn dem Fröhlichen
Ist unerwarteter Rückfall in die Schmerzen
Unerträglich —
Du weißt nur, merk ich, Agamemnons Tod.

Iphigenie.

Hab ich an dieser Nachricht nicht genug?

Orest.

Du hast des Grewels Hälfte nur erfahren.

Iphigenie.

Was fürcht' ich noch? Es lebt Orest! Elektra lebt!

Orest.

Hast du für Clytämnestra nichts zu fürchten?

Iphigenie.

Die sey den Göttern überlassen!
Hoffnung und Furcht hilft dem Verbrecher nicht.

Orest.

Auch sie ist aus dem Land der Hoffnung abgeschnitten!

Iphigenie.

Hat Sie in Wuth ihr eigen Blut vergossen?

Orest.

Nein! doch ihr eigen Blut gab Ihr den Tod!

Iphigenie.

Sprich deutlicher, damit ich's schnell erfahre.
Die Ungewißheit schlägt
Mit tausendfältigem Verdacht
Mir an das Haupt.

Orest.

So haben mich die Götter zum Boten auserlesen,
Der That, die ich in jene
Unfruchtbare, klanglose Höhlen
Der alten Nacht verbergen mögte —
Wider Willen zwingst du mich
Allein dein holder Mund
Darf auch was schmerzliches fodern und erhält's!
Elektra rettete am Tage, da der Vater fiel.
Oresten noch.

Strophius, des Vaters Schweher
Erzog Ihn heimlich neben seinem Sohne Pylades.
Und da die beyden aufgewachsen waren,
Brannt' es ihnen in der Seele,
Des Königs Tod zu rächen.
Sie kamen nach Myzene,

Gering an Tracht,
Als brächten Sie die Nachricht von Orestens Tod
Mit seiner Asche.
Wohl empfangen von der Königinn
Gehn sie in das Haus.
Elektren giebt Orest sich zu erkennen!
Sie bläst der Rache Feuer in Ihm auf,
Das vor der Mutter heilgen Gegenwart
In sich zurückgebracht war.
Und hier am Orte, wo sein Vater fiel,
Wo eine alte leichte Spur von Blut
Aus denen oft gescheurten Steinen noch
Heraus zu leuchten schien;

Hier mahlt Elektra die grauenvolle That
Und ihre Knechtschaft
Und die glückliche, das Reich beschende Verräther,
Und die Gefahren all mit ihrer Feuerzange —
Und Clytämnestra fiel durch ihres Sohnes Hand —

Iphigenie.

Unsterbliche! auf Euren Wolken
Habt Ihr nur darum diese Jahre her
Von Menschen mich gesondert,
Und die kindliche Beschäftigung,
Auf dem Altar das reine Feuer zu erhalten
Mir aufgetragen,
Und meine Seele diesem Feuer gleich
In ewger Klarheit zu Euch aufgezogen,
Daß ich so späth die schwehren Thaten
Erfahren soll?
O sag mir vom Unglücklichen!
Sag von Oresten.

Orest.

Es wär Ihm wohl
Wann man von seinem Tod auch sagen könnte!
Wie gährend stieg aus der Erschlagnen Blut
Der Mutter Geist
Und ruft den alten Töchtern der Nacht,
Die auf den Mord der Blutsverwandten
Die hergebrachten Rechte
Wie ein hungrig Heer von Geyern rastlos verfolgen.

Sie ruft sie auf,
Und die alten Schröckniße
Der Zweifel und die Reu und die zu spät
Sich ewig in sich selbst verzehrende
Und nahrende Betrachtung und Ueberlegung
Der That, die schon gethan ist,
Steigen wie ein Dampf vom Acheron
Vor ihnen auf,
Und nun berechtigt zum Verderben treten sie
Den schönen Boden der Gottbesäten Erbe,
Wovon sie längst hinweggebannt sind.
Den Flüchtigen verfolgt ihr schneller Fuß;
Sie geben keine Rast als wieder neu zu schröken.

Iphigenie.

Unseeliger! Du bist in gleichem Fall,
Und fühlst, was Er, der arme Flüchtling leidet.

Orest.

Was sagst du mir? Was wähnst du gleichen Fall?

Iphigenie.

Den Brudermord, der dich auch Schuldgen drückt,
Vertraute mir dein jüngster. (Pylades)

Orest.

Ich kann' nicht leiden, daß du, große Seele
Betrogen wirst,

Ein lügenhaft Gewebe mag mißtrauisch
Ein Fremder dem Bedern zur Falle
Vor die Füße knüpfen!
Zwischen uns sey Wahrheit!
Ich bin Orest!
Und dieses schuldge Haupt senkt nach der Grube sich
Und sucht den Tod.
In jeglicher Gestalt sey er willkommen!
Wer du auch seyst,
So wünsch ich dir Errettung
Und meinem Freund — Nicht mir!
Du scheinst hier ungern zu verweilen;
Erfindet Rath zur Flucht!
Und laßt mich hier! Laßt meinen
Vor dem Altar der Göttin entseelten Körper
Vom Fels in's Meer gestürzt,
Mein drüber rauchend Blut
Fluch auf das Ufer der Barbaren bringen. —
Und geht, daheim im schönen Griechenland
Ein neues Leben glücklich anzufangen.

Iphigenie.

Deinen Rath ewig zu verehren
Tochter Latos!
Wär mir ein Gesetz —
Dir mein Schicksal ganz zu vertraun . . . .
Aber solche Hoffnung hatt' ich nicht auf dich,
Noch auf deinen weitregierenden Vater!
Soll der Mensch die Götter wohl bitten?
Sein kühnster Wunsch reicht
Der Gnade, der schönsten Tochter Jovis

Nicht an die Schwelle,
Wann sie mit Segen die Hand gefüllt
Von den Unsterblichen
Freywillig herabkommt
Wie man den König an seinen Geschenken erkennt,
Denn er ist reich vor Tausenden —
So erkennt man die Götter
An langbereiteten, lang aufgesparten Gaben,
Denn ihre Weisheit sieht allein die Zukunft;
Die jedes Abends gestirnte Hülle
Den Menschen zudeckt,
Sie hören gelassen das Flehen,
Das um Beschleunigung kindlich bittet,
Aber unreif bricht eine Gottheit
Nie der Erfüllung goldne Früchte;
Und wehe dem Menschen,
Der ungeduldig sie ertruzend
An dem sauren Gemüß sich den Tod ißt!
Aus dem Blute Hyazinths
Sproßte die schönste Blume!
Die Schwestern Phaetons
Weinten lieblichen Balsam —
Und mir steigt aus der Eltern Blut
Ein Reis der Errettung,
Das zum schattenreichen Baume
Knospen und Wuchs hat
Was es auch sey
Laßt mir dieses Glück nicht,
Wie das Gespenst eines geschiednen Geliebten
Eitel vorübergehn!

Orest.

Wenn du die Götter anrufst
Für dich und Pylades,
So nenne mich nicht!
Sey gegen die Gesellschaft des Verbrechers
Auf deiner Huth —
Dem Bösen ist's kein Vortheil
Und dem Guten Schade.

Iphigenie.

Mein Schicksal ist an deines festgebunden!

Orest.

Mit nichten!
Laß allein mich zu den Todten gehn!
Verhüllest du in deinen heilgen Schleyer
Den Schuldigen —
Du birgst mich nicht vorm Blick der Furien,
Und deine heilige Gesellschaft
Hält sie nur seitwärts und verscheucht sie nicht.
In diesen heiligen, geweyhten Hayn
Wagt ihr verfluchter Fuß sich nicht.
Doch hör' ich unter der Erde hie und da
Ein gräßliches Gelächter;
Wie Wölfe um den Baum,
Auf den ein Reisender sich rettete,
Harren sie nur hungriger —
Sie horchen auf des Bösen Wort,

Der dieses Ufers ungeweihten Boden
Berührt, sie steigen,
Den Staub von ihren Häuptern schüttelnd auf,
Und treiben ihre Beute vor sich her.

Iphigenie.

Kannst du, Orest, ein freundlich Wort vernehmen?

Orest.

Spahr es für einen, dem die Götter freundlich sind.

Iphigenie.

Sie gaben dir zu neuer Hoffnung Licht.

Orest.

Den gelben, matten Schein des Todtenflußes
Seh' ich nur durch Rauch und Qualen.

Iphigenie.

Hast du nur eine Schwester,
Die Elektra heißt?

Orest.

Die Eine kannt' ich. Eine andre nahm
Ein gut Geschick
Bey Zeiten aus dem Elend unsers Hauses.

O laß die Fragen!
Und geselle dich nicht auch zu den Erbosen!
Sie blasen ewig wie die Asche von der Seele,
Und leiden nicht, daß sich die letzten Kohlen
Von unsers Hauses Schreckensbrand
In mir still verglimmen.
Soll die Gluth dann ewig angefacht
Genährt mit Höllenschwefel
Mir auf der Seele brennen?

Iphigenie.

Süßes Rauchwerk bring ich drauf.
O laß den Hauch der Liebe
Nicht unwillkommen dir den Busen treffen!
Orest, mein Theurer!
Hat das Geleit der Schreckensgötter
So jede Ader in dir aufgetrocknet?
Schleicht, wie vom Haupt der gräßlichen Gorgone
Versteinert sich ein Zauber
Dir durch die Glieder?
Ruft des vergoßnen Mutterblutes Stimme
Zur Höll hinab;
O sollte einer reinen Schwester Wort
Hilfreiche Götter nicht vom Olympus rufen?

Orest.

Es ruft! Es ruft!
So willst du mein Verderben?
Hat eine Rache Gottheit sich in dich verkleidet?

Wer bist du?
Daß du mit entsetzlicher Stimme
Mein Innerstes in seinen Tiefen wendest?

Iphigenie.

Es zeigt sich dir im tiefen Herzen an!
Orest!
Ich bin's!
Sieh' Iphigenie!
Ich lebe!

Orest.

Du?

Iphigenie.

Mein Bruder!

Orest.

Laß! laß! Ich rethe dir's!
O rühre mich nicht an!
Wie Creusa's Brautkleid zündet
Ein unauslöschlich Feuer
Sich von mir fort!
Laß mich!
Wie Herkul will ich Unwürdiger sterben
Am Tod voll Schmach!
In mich verstoßen sterben.

Iphigenie.

Du wirst nicht untergehn!
O höre mich! O sieh mich an!
Wie mir es ist —
Nach einer langen Reyhe von Jahren
Zum erstenmal dem Liebsten auf der Welt
Das Haupt zu küssen . . . .
Und meine Arme, die den Winden nur
So lange sehnend ausgebreitet waren,
Um dich zu schließen!
O laße mich!
Denn es quillt heller nicht von dem Parnaß,
Die ew'ge Quelle sprudelnd so von Fels zu Fels
In's goldne Thal hinab,
Wie Freude, mir vom Herzen wallend fließt,
Und wie ein seelig Meer mich rings umfängt!
Orest — mein Bruder!

Orest.

Schöne Nymfe! Ich traue dir nicht!
Spotte nicht des Unglückseeligen!
Und wende deine Liebe irgend einem Gott zu!
Diana rächt ein Vergehen hart!
Wie sie der Männer Liebkosen verachtet,
Fordert sie strenge Nymfen,
Und viele Helden haben ihre Rache schwer gefühlt!
Wenn du gefällig bist, so rette meinen Freund,
Der mit mir irrt!
Auf jenem Pfade such ihn auf!
Weis' ihn zurecht und schone meiner!

Iphigenie.

Faße dich, Orest!
Erkenne mich!
Schilt einer Schwester reine Himmelsfreude
Nicht unbesonnene strafbare Lust!
O nehmt, Ihr Götter nehmt
Den Wahn ihm von dem starren Aug!
Und macht uns nicht tin Augenblick
Des höchsten Glückes elend!
Die längstverlohrne Iphigenie ist hier!
Sie ward in Aulis nicht geopfert!
Der Göttin Gnadenhand hat mich hieher gerettet.
Und du — Gefangner! Verurtheilter!
Sieh!
Die Priesterin ist deine Schwester!

Orest.

Unseelige!
So mag die Sonne dann
Die letzte Greuel
Von Tantals Enkeln sehen!
Wär nur Elektra hier!
Damit nicht irgend sie zu einem grausamen Schicksal
Aufbewahrt bleibe!
Gut, Priesterin!
Ich folg dir zum Altar!
Der Brudermord ist hergebracht in unserm Stamm!
Und Götter!
Nehmt Dank!
Daß Ihr mich ohne Kinder auszurotten
Beschloßen habt!

Und laß dir rathen:
Habe nicht den Tag zu lieb,
Noch die fröhlichen Sterne —
Und folge mir in Proserpinens Reich hinab!
Verderblicher, als das Gewürm,
Das aus dem siedenden Schwefelschlamm sich zeugt,
Ist, was von uns entspringt.
O komm, komm kinderlos
Und schuldlos mit hinab!
Du siehst mich voll Erbarmen an!
Laß ab! laß ab!
Mit solchen Blicken suchte Clytemnestra
Auch einen Weg nach ihres Sohnes Herzen!
Allein — Sie fiel!
Tritt auf, unwilliger Geist!
In Kreis geschloßen tretet an, ihr Furien!
Und wohnet dem willkommnen Schauspiel bey!
Es ist das Letzte und das Gräßlichste!
Bisher vergoßen wir das Blut
Aus Haß und Rache!
Nun wird die Schwesterliebe
Zu dieser That gezwungen . . .
Weine nicht!
Lebe wohl!
Seit meinen ersten Jahren hab ich nichts geliebt,
Wie ich dich lieben konnte, Schwester!
Doch — Ich bin reif!
Ja! heb das Messer hoch!
Und reiß den Busen auf,
Und öffne diesen Strömen, die hier leben,
Den Weg!

(Er sinkt in Ermattung.)

Allein zu tragen
Dieß Glück und Elend
Vermag ich nicht!
Wo find' ich Pylades?   Dich theuren Mann?

(ab)

Zweyte Szene des dritten Akts.

Orest allein (wie erwachend,)

Noch Einen — reiche mir
Aus Lethes Fluten — —
Den letzten Becher!
Bald ist der böse Kampf des Lebens
Aus meinem Busen weggespühlt!!
Bald fließt mein Geist — wie in die Quelle des Vergessens
Selbst verwandelt,
Zu Euch, ihr Schatten, in die ew'gen Nebel l.
Wie ist 's so still!
Willkommen ist die Ruh dem Ungetriebnen!
Sie kommen schon, den neuen Gast zu Ihr
Wer ist die Schaar?
Sie gehen friedlich mit einander
Alte und Junge
Und Männer mit den Weibern!
Sie sind es, meine Ahnherrn!
Sie sind's!   (ab)

Mit Thyesten geht Atreus und die Knaben schlimm
Vermischt um sie herum ....
Ist keine Feindschaft mehr unter Euch?
Ist alle Feindschaft mit dem Licht der Sonne
Vor Euch verloschen?
So bin auch ich willkommen!
So darf auch ich
In Euern feyerlichen Zug mich mischen.
Willkommen Väter!
Euch grüßt Orest
Von Eurem Stamm der letzte Mann!
Was Ihr gesät, hat Er geerndtet
Mit Fluch beladen stieg Er herab!
Doch leichter wird hier jede Bürde,
Weil Ihr ihn auf in Vater kreis ....
Dich, Atreus, ehr' ich —
Und Dich Thyesten!
Wir sind hier alle der Feindschaft los ...
Zeigt mir den Vater,
Den ich ... im ...sah!
Bist Du's, mein Vater?
Und führest du die Mutter
Vertraut mit dir?
Darf Clytemnestra
Die Hand dir reichen,
So darf Orest auch zu ihr treten —
Und darf Ihr sagen:
Sieh deinen Sohn!
Seht Euern Sohn!   Heißt Ihn willkommen!
Auf Erden ... in unserm Haus
Der Willkomm — Tod!
Und das Geschlecht des alten Tantals

Hat seine Freuden jenseits der Nacht!
Willkomm! willkomm!
O schließt mich um und führt zum Alten
Zum Anherrn mich!
Wo ist der Alte, daß ich Ihn sehe?
Das theure Haupt,
Das mit den Göttern zu Rathe saß?
Ihr scheint zu zaudern?
Wollt Ihr dem Enkel die Schmerzen sparen?
Sollt er nicht sehn des Anherrn Quaal?
Durch übermächtge Götter
Die Heldenbrust mit ehrnen Ketten
Fest aufgeschmiedet.

Dritte Szene des dritten Aktes.

Iphigenie. Orest. Pylades.

Orest.

Seyd auch Ihr schon herabgekommen?
Wohl, Schwester, dir!
Noch fehlt Elektra!
Ein gütger Gott send' uns die Eine
Mit sanften Pfeilen auch so schnell herab!
Dich, armer Freund, muß ich bedauren!
Kommt mit, kommt mit zu Pluto's Thron!
Es ziemt den Gästen
Den Wirth mit Gruß zu ehren.

Iphigenie.

Geschwister, die Ihr an dem weiten Himmel
Das Licht bey Tag und Nacht heraufbringt,
Und den Abgeschiednen nimmer leuchtet . . .
Erbarmt Euch unser!
Du weißt, Diana,
Wie du deinen Bruder vor allem liebst;
Was Erd und Himmel faßt!
Und seegnend immer dein Angesicht
Nach seinem ewgen Lichte wendest!
Laß meinen Einigen, Spätgefundnen
Nicht in der Finsterniß des Wahnsinns rasen!
Und ist dein Wille, daß du hier mich bargst
Nunmehr vollendet;
Willst du Mir durch ihn, und ihm durch Mich
Die seelge Rettung geben;
So lös ihn von den Banden der Furien,
Daß nicht die theure Zeit
Der Rettung uns entgeht.

Pylades.

Erkennst du uns und diesen heilgen Hayn?
Und dieses Licht, das nicht den Todten leuchtet?
Fühlst du den Arm des Freundes und der Schwester,
Die dich noch lebend halten?
Faß uns an!
Wir sind nicht leere Schatten!
Merk auf das Wort und raffe dich zusammen!
Denn jeder Augenblick ist theuer.

Ich muß mich leiten lassen wie ein Kind.
Denn nie hab ich gelernt hinterhaltig zu seyn,
Noch einem etwas abzulisten.
O weh der Lüge, die Brust wird nicht
Wie von einem ändern wahrgesprochnen Worte
Getrost und frey — wer sie heimlich schmiedet,
Den ängstet sie —
Und wie ein versagender Pfeil kehrt
Sie losgedrückt, verwundend
Auf den Schützen zurück.

. . . .

Aus der letzten Szene des vierten Akts.

Iphigenia.

. . . .

Vergebens hofft ich, still verwahrt von meiner Göttin,
Den alten Fluch von unserm Haus
Ausklingen zu laßen,
Und durch Gebet und Reinheit
Die Olympier zu versöhnen . . . .
Kaum wird mir in Armen ein Bruder gehellt,
Kaum naht ein Schiff, ein langerflehtes
Mich an die Städte der lebenden Vaterwelt zu leiten,
Wird mir ein doppelt Laster
Von der' tauben Noth geboten —
Das heilige, mir anvertraute Schutzbild dieses Ufers
Wegzurauben —
Und den König zu hintergehn!
Wenn ich mit Betrug und Raub beginne,

Wie will ich Seegen bringen?
Und wo will ich enden?
Ach! warum scheint der Undank mir wie tausend Andern
Nicht ein leichtes, unbedeutendes Vergehn?

Es sangen die Parzen ein grausend Lied,
Als Tantal fiel vom goldenen Stuhl.
Die Alten litten mit ihrem Freund.
Ich hört' es oft! Ich hört' es oft ...
In meiner Jugend sang's eine Amme uns Kindern vor:
Es fürchte die Götter,
Das Menschengeschlecht!
Sie haben Macht —
Und brauchen sie, wie's ihnen gefällt,
Der fürchte sie sehr,
Den sie erheben!
Auf schroffen Klippen
Stehn ihre Stühl um den goldnen Tisch,
Erhebt sich ein Zwist,
So stürzt der Gast
Unwiederbringlich ins Reich der Nacht,
Und ohne Gericht liegt er gebunden,
In der Finsterniß.
Sie aber lassen sich's ewig wohl seyn
Am goldnen Tisch.
Von Berg zu Bergen schreiten sie weg,
Und aus der Tiefe
Dampft ihnen
Des Riesen erstickter Mund,
Gleich andern Opfern ein leichter Rauch.

Von ganzen Geschlechtern
Wenden sie weg
Ihr segnend Aug
Und hassen im Enkel
Die ehmals geliebten
Und nun verworfnen Züge des Anherrn...

So sangen die Alten
Und Tantal horcht in seiner Höhle,
Denkt seine Kinder und seine Enkel
Und schüttelt das Haupt.

Geschichte

des

Kupferstechers Schmitz

in Düsseldorf.

von Frau von Laroche.

Geschichte

des

Kupferstechers Schmiz

in Düßeldorf.

Von Frau von Laroche.

Vor zwölf Jahren kam ein junger Beckerknecht zu
Herrn Hofkammerrath Krahe in Düßeldorf, dem
ersten Aufseher über die berühmte Gemähldesammlung.
Der junge Mensch zog ein Buch aus seiner Tasche,
bot es hin und bat Herrn Krahe: Er möchte Ihm
doch das Buch schätzen und abkauffen —

Herr Krahe öffnet es und sagt:

Es ist das Gebehtbuch, welches der Churfürst
Clemens August von Kölln machen ließ und mit Kupfer-
stichen zierte. Wo habt ihr es her?

Der junge Mensch lächelt bescheiden: Ich hab es abgeschrieben —

Nun sieht es Herr Krahe ernstlich an, vergleicht es mit einem Original und findet, daß ein ungeübtes Aug Mühe hat, den Kupferstich von der Abschrift, wie es der gute Mensch nannte, zu unterscheiden. Mit freundlichem Staunen sagt Er dann:

Lieber junger Mann! Wie kann Er mit dem großen Talent ein Becker werden? Er muß ich fühle, daß Er zum Kupferstecher gebohren ist?

Ich wäre es gerne geworden, weil ich immer gern zeichnete. Aber mein Vater ist ein armer Becker, der viele Kinder hat. Das Handwerk konnte Er mich umsonst lehren und ich zeichnete dann an Sonn- und Feyertagen ab. Nun will ich wandern, mein Vater kann mir nichts geben, und weil Sie das Zeichnen lieben, so dachte ich, Sie kauffen vielleicht mein Buch.

Guter junger Mann, sagt Krahe, komme Er morgen Abend zu mir, aber gewiß!

Den Morgen reißt Herr Krahe nach Kaiserswörth zu einem reichen rechtschaffenen Mann, der sein Freund ist und keine Kinder hat. Dieser freut sich über den Besuch. Herr Krahe aber sagt gleich:

Lieber Freund! Ich bekenne, daß ich heute aus andern Absichten komme. — Und erzählt den

Auftritt mit dem jungen Mann, weißt das Buch und die Urschrift —

Lieber! Mögten Sie nicht ein paar hundert Thaler an diesen Jüngling wenden? Er wird gewis ein vortreflicher Mann und kommt in den Stand, es wieder zu ersetzen — Ich will für den Anbau seiner Talente sorgen. Der Rath giebt dreyhundert Thaler mit edler Freude. Herr Krahe kommt zurück — und kündigt dem jungen Mann an, was Er gethan und was Er mit ihm vorhat. Schmitz wird entzückt, verläßt sein Handwerk, zeichnet nach Grundsätzen, lernt Geometrie und studirt die Geschichte.

Nach einem unausgesetzten Fleiß von zwey Jahren — sagt Herr Krahe: Jezo, mein Freund, haben Sie gelernt, was Düsseldorf Sie lehren kann. Nun müßen Sie nach Paris zu Herrn Wille und Ihr Talent vervollkommnen.

Schmitz folgt, reißt ab, geht aber zu Fuß, um das Geld, so man ihm gab, zu spahren, kommt krank nach Paris, erinnert sich noch eines Klosters, wo er einem Mönch etwas sagen soll; geht zu Ihm, der Mönch besorgt ihn mit Rath und Hülfe — Nach seiner Genesung geht Er traurig auf einem Spaziergang, und begegnet zwey Garde du Corps — Einer redet ihn an:

Herr, ist Er nicht ein Deutscher? — Ja — Aus welcher Gegend? — Von Kayserswörth! —

Ey! da ist Er ja mein Landsmann. . . . Was macht Er hier? — Schmitz erzählte Ihm alles und jammerte am Ende, daß Ihn seine Krankheit Zeit und Geld gekostet, daß er seinen Wohlthätern nicht zur Last fallen mögte u. s. w.

Der Soldat denkt nach — Ja, Lieber, da ist schwehr zu rathen. Doch wenn du mir folgen wolltest, so fändest zu Kleidung und zu leben und könntest dabey deiner Kunst nachgehen. . . Mein Kapitän braucht gerade einen Mann. . . Du bist schön, er nimmt dich gleich — wir sind gut bezahlt, der Dienst ist leicht, und du hast sehr viel freye Tage. . . .

Schmitz nimmt es an — der Kapitän hört seine Geschichte und empfiehlt Ihn selbst bey Wille — und giebt Schmitzen Urlaub, so viel es der Dienst zuläßt. . So arbeitet und dient er vier Jahr und quittirt. Noch zwey Jahre widmet Er sich allein seiner Kunst und kommt mit guten Zeughißen von seinem Lebenswandel und seinem Fleiß zurück. . .

Herr Krahe erstaunt über die Arbeiten des Mannes und stellt ihn bey der Galerie an. Schmitz arbeitet wieder und lebt ganz edel und rechtschaffen fort — kommt nirgend hin, als in das Haus des Herrn Krahe. Dieses dauert wieder zwey Jahre.

Einen Morgen sagt Krahe: Herr Schmitz, Sie kommen heut Abend zeitlich in mein Haus. Ich habe ein kleines Fest, da will ich alle meine Freunde dabey haben.

Schmitz kommt — findet viele Fremde — Hört: Es sey das Verlöbniß Fest der ältesten Tochter, geht fort. Man sieht ihn nicht mehr. Den andern Morgen kommt Er in die Galerie, um zu arbeiten. Herr Krahe kennt Ihn nicht mehr:

Herr Schmitz, was fehlt ihnen?

Ich bin unglücklich, mein Wohlthäter!

Warum? Was ist vorgegangen?

Ich liebe Ihre Henriette von dem ersten Abend, da ich von Paris zurückkam und — ach! Nun ist Sie einem Andern!

Lieber junger Mann, haben Sie meiner Tochter was von Ihrer Liebe gesagt?

Niemahls! Wie sollte ich das — ohne Titel und ohne Vermögen — der Tochter meines Wohlthäters von Liebe reden — Ich wär glücklich genug, Sie zu sehen. Ich wünschte nichts weiter — Aber jezo bin ich elend!

Lieber Schmitz beruhigen Sie sich. Sie sind mir so lieb, wie mein Sohn, aber mit meiner Henriette ist es zu spät! —

Nun wird der gute Mann krank und ist vier Monathe zwischen Tod und Wahnsinn, kommt nicht aus seinem Hause und genießt von Krahe alle Liebe. Man spricht Ihm nicht von Henrietten — Aber Ihr von Ihm, da Sie Ihn besuchen wollte.

Der Bräutigam war abgereißt und seine Familie macht Hindernisse in die Heyrath — Er hat den Muth nicht, es zu schreiben. Henriette erräth es und giebt Ihm seine Freyheit wieder — erhält ihre Briefe zurück und sagt dann ihrem Vater —

Sie hätten Schmitzen gern zu Ihrem Sohn gehabt — Sagen Sie Ihm, Ihre Henriette sey sein, wenn Er sie noch zu seinem Glück nöthig finde —

Der Vater geht zu Ihm, sagt es und beynahe hätte Ihn Freude so elend gemacht, als das Weh. Er wankt an Herrn Krahe's Arm zu Henrietten, und alles Glück überströmt sein Herz — Er bleibt den Abend da. — Den andern Tag hören sie nichts von Ihm, als: Er sey mit anbrechendem Morgen mit seinen Platten und Zeichnungen mit vier Pferden abgereißt. Welche Angst für Krahe und Henrietten! Man dachte Ihn Wahnsinnig, weiß nichts von Ihm. . . . Den neunten Tag kömmt Er mit dem Dekret einer Besoldung von 600 fl. von München — wo Er sich dem Churfürsten von Pfalzbayern zu Füßen geworfen, sein Schicksal und seine Liebe erzählt hatte, und seine Zeugnisse und Arbeiten dabey vorlegte. Der Churfürst wurde von der Wahrheit seiner Talente und seiner Liebe bewegt, und Schmitz kam zu Krahe zurück, indem er sagte —

Nun bin ich Henriettens ganz würdig. Ich besitze auch etwas Einkünfte.

Und dieß war im Januar 1782.

Ueber das Leidenschaftliche in der Kunst.

Ueber das Leidenschaftliche
in der Kunst.

Leidenschaften, wie Plato sagt, sind die Flügel der Seele, die uns gen Himmel ziehen; aber auch nach dem gerechten Zusaz eines neuern, ich meine Shakespears, im Misbrauch, Bleigewichter, die zur Hölle niederdrüken. In beeden Fällen erscheint der Mensch gros. Die Tugend hat ihre anbetungswürdige, das Laster seine verabscheuungswerthe Größe. Beede Erscheinungen nüzt die Kunst, wenn sie große Würkungen hervor bringen will. Ich nehme das Wort Kunst in seinem weitern Umfange, nicht in so fern sie nur durch Bildung aus einer Materie eine Begebenheit oder sonstige Erscheinung versinnlichet, sondern in so fern sie auch würkt durch den Ausdruk in darstellender Rede oder bezeichnenden Tönen. Vorzüglich aber meine ich Dichter im Verhältnis gegen Maler und Bildhauer. Beede wollen intereßiren, das ist, eine Veränderung, entsprechend ihrem Gefühle und Absicht, in der Seele des Anschauenden hervorbringen, oder auch nur, was immer ist, sie wollen auf sich aufmerksam machen. Mensch intereßirt sich für Mensch, vermög eines beständigen Gesezes der Sympathie. Aber der Mensch im ruhigen Zustand intereßirt den Menschen nicht, wie das stehende (nicht in Bewegung gesezte) Gesicht einer auch warhaften Schöne. Darum wält sich der Dichter und Maler denselben in Handlung, in großer Handlung, von Leidenschaft bestimmt, und Handlung wieder bestimmend. Homer den erboßten Achill, der an Agamemnon durch mehr als eine halbe Iliade Ungemachs gerächt wird. Apelles, der Grazienmaler wält sich Cythera die Göttin der gröster aller Leidenschaften, Liebe, der personifizirten Schönheit und Mutter der Wesen — Nun fragt sich, wie beede am besten und sicherften zu ihrem Zweck gelangen können? Viele Regeln laffen sich freylich nicht geben, und für den Künstler am wenigsten. Wer Prometheus Flamme nicht in sich hat, bei dem ist ohnehin Mühe und Lohn verschwendet. Aber eben von Werken des Genies mus man ja Canones der Theorie abstrahiren. Und die Summe sodann ist Gewinn für die ganze Seelenlehre. Auch ists anmuthig und nüzlich immerdar, überschauen zu können, welchen Gang menschliche Seele zu menschlicher Seele genommen. Ich will davon ausgehen, aus Beispielen zu zeigen, durch welche Mittel die gröste Dichter und Maler die größten Würkungen im Leidenschaftlichen hervorgebracht haben, woraus sich Resultate für die Theorie von selbst ergeben, und versuchen, die Gränzen festzusetzen, die Maler und Dichter hier vorzüglich haben, und ihre beederseitige Vortheile oder Nachtheile von Seiten ihres Fachs.

I.

Wahrheit ist eines der ersten Geseze der Natur: Der Künstler, der keinen Schritt ohne Natur gehen kann, wird auch diese nie verlassen können, sonst geräth er in Labyrinthe und landet an einem Utopia — die Red ist hier wol von Dichterwarheit und was die Gränzen der Möglichkeit nicht überspringt, oder seinen Grund im Vorhergehenden und die Bestimmung zum Künftigen im Gegenwärtigen hat. (was besonders von Caracteren gilt) Also in dieser Rücksicht fordert man Wahrheit von Dichter und Künstler. Wahr ist, so genommen, die Medea der Alten im Gemäld und im Gedichte. Wahr ist Herkules, der Schlangenbändiger, wie der gefangne schmachtende Liebhaber am Spinnroken, und endlich der nach dem Ende seiner Irrsalen im Feuer vom Menschen zum Gott geläuterte Sieger. Alle diese Charaktere und ihre einzele herausgehobene Züge stimmten mit sich selbst zusammen. Aber wer nur einen Alexander malen wollte, der dem verzweifelnden Gefecht der Seinen im Arm einer Buhlerin ruhig zuschaute, der malte wie ein Narr. Solch eine Handlung hat durchaus keinen Grund im ganzen Charakter des Weltbezwingers. Poetisch wahr ist ferner, was seine Beziehung hat auf gewiß vorhandene oder vorhanden gewesene Volksmeinungen und Vorurtheile, betreffend nun Religion, Geisterreich und Politik — das in Rücksicht auf die ganze alte heidnische Religion und die römischkatholische, die den italienischen Malern von den Zeiten der Medicis an mit ihrem Aberglauben die treflichsten Dienste gethan haben. Soviel von der Wahrheit im Allgemeinen. Wahrheit im Besondern, dem gesammten Detail, erfordert wieder vieles. Ich übergehe Costüme, Theater, oder andre Convention — Anstosse wider derlei Geseze wollen nicht viel besagen. Die grösten Genies fehlten dagegen. Shakespear, wenn der Polonius auf der Leydner Universität studieren läßt, und Titian, der die Jünger Jesu in Cardinals Habiten gemalt — Wichtigere Fehler können hier einem nicht genug sorgfältigen Auge oder Hand entschlüpfen. Die kleine verblößteste Schattirung einer Handlung muß zum Produkt des Charakters gehen, und in ihm sich gründen — Die wizige ausgesonnene Deklamazionen sterbender Theater = Helden oder Heldinnen (in welchen Fehler die besten Köpfe, Shakespear selber oft gefallen sind, und welchen Fehler Anglikomanie noch mehr verbreitet hat) gehören hieher. Der tändlende zärtliche Complimenten Ton, welches statt des andern sterben wolle, in der Wielandschen Alzeste ebenfalls — Ein zweytes ist wodurch sich die Werke der Alten in der Kunst auch hier beym Leidenschaftlichen vorzüglich empfehlen — Einheit. Die Seele, ein eingeschränktes Wesen ist der Beschauung vieler Dinge zumal vermög ihrer Organe der Sinne und ihrer eigenen Natur nicht fähig. Sie eine Kraft, die sich mehr in der Vorstellung als in der Würklichkeit theilen und unterordnen läßt, wenn sie zu gleicher Zeit auf mehr als einen Gegenstand hingespannt wird, ermüdet zu bald, verwirret sich, und das Interesse läßt nach. Daher muß die ganze Seele immer auf einen Punkt hin, den der Künstler zu Erreichung seiner Absicht für gut befindet, hingeheftet werden. Daß Dido, die sterbende Dido, ungetheiltes Mitleiden errege, mus sie ganz dargestellt werden, daß wir Aeneas nicht, aber all seine andere Verhältniße, die ihn die Geliebte zu verlaßen zwangen, auf eine Weile vergeßen. — Alle fremde Zierrathen nüzen hier wenig. Die kleinste könnte dem Eindruck und der Wirkung des Ganzen schaden. Ein allegorischer Anker des Glaubens und eine in den Lüsten schwebende Märtyrerkrone würde (und was haben nicht Allegorien schon all verdorben?) dem herrlichen Gemälde des gemarterten heil. Bartholomäus, das der Kardinal Albani hat, unzälig viel von seiner Kraft benehmen. Und so sind die Zweige und Feigenschürzen um die nakten Gruppen in dem göttlichen jüngsten Gericht des Michelangelo, die der züchtige Pabst Clemens umherklexen ließ, redende Denkmale seiner Stumpfheit in Sachen des Kunstgefühls. Sonst kan freilich der Eindruk des Ganzen gestört werden durch — Beleidigung der Delikateße, wo Delikateße erfordert wird. Aber vorm jüngsten Gericht werden wir unsere Blöße nicht deken können oder wollen. Man muß immer auf Sache oder Umstände Rücksicht nehmen. Wer sich ärgern wollte, an einer entblößten schönen Mutterbrust, auf der die tappende Hand eines anmutigen Säuglings spielt, indeß der Mutter Wange zur Wange des Engels sich neigt (dem Bilde mütterlicher Liebe) wie wir dergleichen von Bernini und andern haben, der müßte fürwahr luteum pectus haben. Ein andrer Fall ist, wenn durch eine solche Nebenheit eine andre als die bezweckte Wirkung hervorkäme, wie es fast der Fall ist bei einer schönen Beterin Magdalena, die so wollüstig schön da ligt, und in den Minen einen solchen nymfomanisch schwärmerischen Ausdruk hat, daß man sie mehr für eine heilige Bulerin hält; wo also statt der andächtigen Empfindungen buhlerische erregt werden. Was eigentlich decorum heißt, darinn geben die Griechen auffallende Beyspiele. Sogar heftigere Verzerrung des Gesichts bei großen Schmerzen vermieden sie. Siehe davon Lessing Laokoon. Noch will ich kürzlich eine Vergleichung anstellen zwischen dem Maler und Dichter, Rüksicht des Leidenschaftlichen. Sehr viel trägt zu minderer oder mehrerer Würkung bey, glüklichere Auswahl des Augenbliks, den sich der Künstler in Darstellung einer Sache wählen will. Hier hat meines Erachtens der Bildhauer oder Maler mehr Vortheil denn der Dichter. Lezterer ist entweder blos beschreibend, wie z. B. Ovid in seiner Metamorphose bei der Medea. Dann er kann doch nicht blos Bruchstücke liefern, er mus den ganzen Zusammenhang der Begebenheit nach ihrer Veranlaßung, ihren äußern und innern Einwürkungen, und ihren natürlichen Folgen vor uns entfalten, Bilder aneinander reihen, diese Bilder in passende Gewande kleiden, und sich winden und biegen, bis er mit seiner Fantasie für unsre Fantasie sein Gemälde herauf bringt und — Täuschung erregt. Oder er ist handlen laßender, dramatischer Dichter wie Euripides in seiner Medea. Hier ist das Räderwerk eigentlich kunstmäßig verstekter angelegt. Der Dichter oder Erzäler begiebt sich gleichsam deßen allen, was er weiß. Er trägt nur seinen Personen die Rollen auf, und Austheilung und Anordnung sind seine Sache. Daß dieses schwer, und wie behutsam dabey zu verfahren, weis auch der Ungeweihte der Kunst. Und nach und nach muß er den Zuschauer nach manchen Vorbereitungen zum Zwek bringen. Ganz anders der Bildhauer oder

Maler. Seine Fantasie gebeut ihm; er schafft ein Ganzes; wir sehens, fühlens, betastens! Sein ganzes Geschäft an unserer Seele, ist gleichsam Werk eines Augenbliks: aber möchte man sagen, eben weil er den Vortheil nicht hat, andre vielleicht unentbehrliche Umstände zu nuzen, weil er weder Zeit noch Sachenfolge zu Handen hat, so muß seine Wirkung weit unsichrer seyn. — Ich gebe es zu, wenn er seinen Vortheil nicht zu gebrauchen versteht, und von Stümpern ist die Rede nicht. Hingegen nicht so beim Genie, da es immer beßer ist, daß das äußerste nicht so wol erblikt als hinzugedacht werden müße, so hat er, weil er das andre mehr anschauend geben kan, hier schon ein gutes Voraus. Timomachus wälte für seine Medea den Augenblik, da mütterliche Liebe noch mit Rache und Eifersucht im Kampf war. Am beleidigten Weibe konnte man noch mehr Theilnehmung haben. Man muste Rache mit ihr wünschen, Mütterliche Liebe noch kämpfend im Gesicht der abscheulichen Mörderin regte ein andres Gleichgefül aus, man bedaurte sie, fürchtete zu gleicher Zeit, ahndete, konnte sie doch nicht haßen! — Ju Gotters Monodram, wo freilich die griechische oder Euripidsche nimmer erscheint, wird die ganze Maschinerie der Handlung psychologisch und shakspearisch gut zergliedert, und so werden wir durch obige gleiche Stufen der Empfindung hingeführt an die That, wo unsre Empfindung sich in ein dumpfes Angaffen der unerhörten That mit Abscheu und Unwillen — über Jason mehr oder Medea? auflöset. Den Kunstgriff, den Ausdruk des höchsten Schmerzens lieber durch Verhüllung als Steigerung in den Schmerzbezeichnenden Zügen andeuten zu wollen, wie Timanthes bey der Iphigenia Cic. de Orat. c. 22. that, hat gleichwohl der Dichter auch, wenn schon nicht so nachdrücklich vielleicht, weil seine Arbeit weniger unter die Sinne fällt. Er scheint mir nirgends glücklicher angebracht zu seyn, als in Göthe's Werther, der herrlichsten Schilderung einer stufenweise zur Verzweiflung sich abspannenden Menschenseele, wo er am Ende die Folgen des Wertherischen Todes kurz berührt, und so wie er an Lotte kommt, sagt: von Lottens Jammer laßt mich nicht reden. In dieser einfachen Wendung ligt mehr, den in manchen ganzen Romanen. So Klopstok, da er von der Geißlung und Schändung des Erlösers redet, singt er sie mit einer leisen lispelnden Laute. S. VII. Gesang.

Noch liesse sich manches beisezen vom Nuzen des Leidenschaftlichen in der Kunst und des Mittels, das der Künstler dadurch in der Hand hat, der Menschen sich zu bemächtigen und sie zu lenken, wohin er will; vom Einfluß einer solchen Herzerschütterung auf Verstand, und dem Werth einer solchen überhaupt samt der Dauer. Allein davon sind theils viele Bücher schon voll, theils würde es mich zu weit führen, und — ich wollte kein Buch über diese Materie schreiben.

K.

Meine Antwort

auf die

Danksagungen des Landes nach

Aufhebung der Leibeigenschaft und

einiger Abgaben.

Meine Antwort

auf die

Danksagungen des Landes nach

Aufhebung der Leibeigenschaft und

einiger Abgaben.

Daß das Wohl der Regenten mit dem Wohl des Landes innig vereiniget sey, so daß beyder Wohl=oder Uebelstand in eins zusammen fließen, ist bey mir, seit

1. B.   D

In einem Restript vom 23 Julius 1783 hat der regierende Herr Marggraf von Baaden und Hochberg alle seine Unterthanen von der Leibeigenschaft und einigen andern Abgaben befreyt. Diese Antwort ist zwar schon gedruckt, (und bereits gedrukte Aufsätze schließt in den meisten Fällen der Plan dieses Muf. aus) aber in der Ueberzeugung, daß jeder aufgeklärte Schwabe auch hier diesen Ausguß eines der edelsten deutschen Fürstenherzen mit Interesse lesen wird, lassen wir sie nachdruken. Ohne dieß gehört ein solcher Aufsatz dem schwäb. Muf. am nächsten an.

D. H.

denn ich meiner Bestimmung nach zu denken gewohnt bin) ein fester Saz gewesen. Ich kann also, wenn ich etwas zum Besten des Landes thun kann, dafür keinen Dank erwarten noch annehmen. Was mich selbst vergnügt, mir Beruhigung giebt, mich der Erfüllung meiner Wünsche, ein freyes, opulentes, gesittetes, christliches Volck zu regieren, nähert, dafür kann man mir nicht danken. Ich aber habe dem Höchsten zu danken, der mich die Erfüllung meiner Wünsche hoffen läßt. Ich glaube gegenwärtigen Anlaß benuzen zu können, um einige Reflexionen und Ermahnungen an die Herzen derer, die ihnen Eingang geben wollen, legen zu können.

Wenn der Saz seine Richtigkeit hat, daß das Wohl des Fürsten mit dem Wohl des Landes innig vereiniget ist, so daß beider Wohl-oder Uebelstand nur eines ausmacht, so ist er es aus der Ursache, weil ihr Interesse auf das genaueste verbunden ist, oder mit andern Worten, weil der Fürst mit dem Lande in genauem wechselseitigem Verhältnisse stehet. Nun stehet aber jeder Bürger des Staats in Verhältniß mit seiner Familie, jede Familie mit ihrem Wohnort, jede Stadt oder Dorf mit dem Distrikt, der sie umgiebt; Ober-oder Amt, jedes von diesen mit dem Ganzen, das Ganze mit dem Landesfürsten, und dieser wieder samt seiner Familie und denen, die ihm den Staat regieren, vertheidigen, erhalten helfen, mit allen. Jeder Stand, jedes Amt, jeder Bürger sind also in genauer Verbindung und haben nur ein Hauptinteresse in dem Wohl des Ganzen. So wie nun ein jeder Landesfürst, der seine Pflichten, sein wahres Interesse kennet, und es also mit seinem Volk wohl meint,

wünschen wird, ein freies, opulentes, gesittetes, christ
liches Volk zu regieren: so gereicht es zur wahren Glück-
seligkeit eines jeden einzelnen Gliedes im Staat, zu
der Erfüllung dieses Wunsches das seinige beizutragen
und so viel in seinen Kräften ist, und so weit seine
Verhältnisse reichen, mitzuwirken. Hier ist also nur
eine große Familie, deren Glieder zu einem gemeinen
Endzweck verbunden sind. Jedes einzelne Mitglied
trägt zum Ganzen bey, und nimmt an den Vorthei-
len des Ganzen Theil.

Will jemand Antheil an der Freiheit haben; so muß
er jeden andern in dem Genusse der seinigen ungestört
lassen, weil die Freiheit in dem gesellschaftlichen Leben nichts anders ist, als der freie Genuß unsers Eigenthums unter dem Schuz der Geseze. Es ist also
keine Freiheit ohne Geseze, welche den Boshaften einschränken, wenn er schaden und also der Freiheit seiner Mitbürger zu nahe tretten will. Die Freiheit
kann also für die guten Menschen seyn; die Boßhaften
können sie nicht geniessen, weil bösesthun nicht frei
heissen kann. Wenn aber auch die Geseze den Boshaften nicht erreichen können; so würde er doch, wenn
er seine Vernunft gebrauchen wollte, einsehen, daß er
sich selbst schadet, wenn er Zerrüttung in seinen Verhältnissen anstiftet. Ein jedes Laster, ein jedes Verbrechen ist Irrthum, ist Thorheit; eine jede Tugend
ist Weisheit. Wer Geseze, Ordnung, Tugend und
Religion liebt, und zur Richtschnur nimmt, der ist
weise, der ist frei! denn er wünscht nur, was ihm
niemand verbieten, hingegen was ihn und andere
glücklich machen kann; nichts schränket ihn ein, er
fesselt seinen Nächsten mit Banden der Liebe und des

Vertrauens, er fühlt seinen Werth, seine Würde, als Mensch, als Christ, als Patriot.

Der Geist der Freiheit, also verstanden, muß gewiß viel zum Reichthum eines Volks beytragen, weil dadurch der Genuß des Eigenthums einem jeden versichert, und der Weg, seine Umstände zu verbessern, geöffnet wird. Die erste Quelle des Reichthums bestehet in der Gewinnung der ersten rohen Naturprodukte durch den Acker = Wein = Wiesen = Bergbau, Holzkultur u. s. w. ohne diese Produkte fehlt es an den ersten Bedürfnissen des Lebens: die Handwerker haben keine erste rohe Materie zu verarbeiten, die Handlung kein Objekt des Handels. Alle Stände sind also dabey intereßirt, daß der Naturprodukte viele erworben werden. Denn alsdann ist der Zustand des Landmannes blühend, der Handwerker, der Künstler, der Fabrikant findet Verdienst, der Kaufmann findet Beschäftigung, indem er den rohen und verarbeiteten Produkten durch den Handel einen guten Werth verschafft; der Staat ist reich und blühet, — und siehe da abermal alle Interessen vereiniget in Einem, vom Landesfürsten bis zum Hirten: alle gewinnen durch die Vermehrung der Production. Niemand muß also den andern darinn stören, jeder vielmehr den andern unterstützen. Der reiche Landmann drücke seinen armen Mitbürger nicht; er sey nicht stolz gegen ihn; er behandle ihn mit Liebe; er gebe ihm Verdienst, suche ihm seinen Nahrungsstand zu verbessern, ihm aufzuhelffen. Der Arme beneide den Reichen nicht, er schäme sich der Armuth nicht. Redliche Armuth ist ehrbarer, als mit Unrecht erworbener Reichthum. Der ehrbare Arme schäme sich nicht, bey seinem wohlhabenden Mitbürger Verdienst anzunehmen. Durch Treue und Fleiß wird er sich Vermögen erwerben. Hier ist Vereinigung der Kräfte zum gemeinen Zweck; Harmonie!

Einwohner der Städte! begehret nicht, dem Landmann die im Schweiß seines Angesichts hervorgebrachte Produkte um geringe Preise abzudringen. Er kann seinen Acker nicht ohne Aufwand anbauen: ein Theil dieses Aufwandes ist Verdienst für euch: aber der größte Theil euers Verdienstes wird mit dem reinen Ertrag des Landes bezahlt, nemlich mit der Summe, welche dem Landmann übrig bleibt, wenn von dem ganzen Erwuchs der Kulturaufwand abgezogen ist. Diese Summe ist der freicirculirende Reichthum im Staat, wovon alle Stände leben, ein jeder nach dem Maaß des Antheils, welchen er mit Recht daran zu fordern hat, oder welchen er durch seine Arbeit erwirbt. Je größer diese Summe, je größer der Wohlstand des Staats, je blühender die Gewerbe, die Künste, der Handel. Begehret also nicht, daß der freie Handel der Produktionen gehemmt werde: denn so wie sich verhält der Kaufpreis der Produktionen, so verhält sich auch der reine Ertrag. Ueberfluß und Unwerth ist nicht Reichthum; Mangel und Theurung ist Elend; Ueberfluß und hoher Werth ist Wohlstand.

Einwohner der Städte, oder vielmehr, alle die ihr Gewerbe und Handel treibt, begehret nicht durch ausschließende Rechte die Gewerbe und den Handel eurer Mitbürger einzuschränken: ihr schadet euch selber, ihr schadet dem Staat. Die Freiheit ist den Gewerben und dem Handel unentbehrlich: wenn ihr sie andern raubt, so beraubt ihr euch ihrer Hülfe, ihrer Unterstützung, ihres Fleißes. Weg mit allem Neid, mit der Selbstheit, die andern das versagen will, was sie für sich selbst für nützlich hält!

Menschen aller Klassen im Staat, Freunde, Landsleute, Patrioten, freie deutsche Männer, ihr, die ihr einen der fruchtbarsten, gelindesten Himmelsstriche Deutschlands bewohnet, wo ihr schon vor siebenhundert Jahren von Zähringern, aus deren Blut ich abstamme, von Generation zu Generation geführt wurdet, vereinigt eure Kräfte mit den meinigen, der ich nun gleich 37 Jahre die Gnade von Gott habe, unter seinem Segen, jedoch nicht ohne Leiden, Schmerz und Betrübniß, euch vorzustehen, vereiniget euch mit mir zum allgemeinen Wohl. Laßt mich den Trost mit in die Ewigkeit hinnehmen, daß ich ein an Wohlstand, Sittlichkeit und Tugend wachsendes Volk zurückgelassen habe. Seyd fleißig, seyd tapfer, liebet euer Vaterland; seyd sparsam ohne Geiz; giebt euch Gott Reichthum, so verschwendet ihn nicht in Ueppigkeit; laßt den schon eingeschlichenen Luxus nicht weiter einreissen; er schadet noch mehr dadurch, daß er die Sitten verderbt, als dadurch, daß er der Habseligkeit wehe thut. Seyd lieber tugendhaft und arm, als lasterhaft und reich. Erziehet eure Kinder zur Tugend; lehret sie wahrhaft seyn und die Lügen hassen; gehet ihnen mit guten Beyspielen vor; es ist hohe Pflicht; Gott forderts von euch; ihr seyd es euern Kindern, euch selbst, euren Vaterlande schuldig: sie sind der Segen eures Hauses, die Stütze eures Alters, die Stärke des Staats, wenn sie Tugend, Religion und Ehre kennen.

Eine Lehre des ersten, größten Sittenlehrers, der jemals gewesen ist und seyn wird, die laßt uns zur Regel unserer Sittlichkeit, unsers Betragens, unserer

Nachahmung dienen: Alles was ihr wollt, daß
euch die Leute thun sollen, das thut ihr ihnen;
denn das ist das Gesetz und die Propheten. Ein
würdiger Gottesgelehrter unserer Zeiten sagt von dieser
Regel folgendes: „Sie ist euere ganze Weisheit, die
„beste Staatskunst, Fürsten und Regenten! die beste
„Erziehungskunst, Eltern! die weiseste Lehrmethode,
„Lehrer! Nichts kann Brüderherzen an Brüderherzen,
„Freunde an Freunde, Ehegenossen an Ehegenossen
„fester knüpfen, als diese Regel.“

Nun aber, meine Freunde, wollen wir dieses,
können wir dieses durch unsere eigene Menschenkraft,
oder vielmehr Schwachheit vollbringen? Hier muß eine
höhere Kraft uns zu Hülfe kommen, oder wir unter
liegen. Wir müssen die Stärke der Religion zu Hülfe
nehmen, die so allgewaltig in die Herzen der Men
schen wirket, der die ganze Natur untergeordnet ist,
weil sie von dem Urheber der Natur ausgehet.

Diener des göttlichen Worts, Lehrer der Religion,
euch rufe ich auf, die ihr berufen seyd, aus Natur
und Offenbarung den geoffenbarten Willen Gottes dar
zustellen! Seyd ihr von der Wichtigkeit euers Amts
überzeugt, so gebrauchet seine ganze Stärke, um Gu
tes zu stiften. Seyd ihr von den Wahrheiten und
Lehren der Religion überzeugt, durchdrungen, gerührt;
so werdet ihr gewiß auch den Weg zu den Herzen eurer
Lehrbefohlnen, finden und sie rühren. Sind die Herzen
gerührt, so kann der Glaube an den erhabensten Stif
ter der Religion lebendig und der Wille, seinen Lehren
und Beyspielen zu folgen, thätig werden, alsdenn
wird seine Kraft in den Schwachen mächtig werden,
und unser Bestreben und unsere Arbeit wird mit Se

gen gekrönt seyn. Alsdenn werden wir durch Tugend
und Religion der wahren Ehre theilhaftig werden.
Sie ist, wie ich glaube, nichts anders, als das Zeugniß unsers Gewissens, daß wir edle Handlungen aus
edlen Beweggründen vollbringen. Der Beyfall des
Publikums ist nur in so weit Ehre, als er mit dem
Zeugniß unsers Gewissens überein kömmt. Da wir
aber unsern Nebenmenschen so beurtheilen müssen,
wie wir wünschen, von Ihm beurtheilt zu werden,
und uns die geheimen Triebe des Herzens nicht bekannt
sind; so macht eine jede edle Handlung dem, der sie
begehet, in unserm Urtheil Ehre, wenn wir nicht
offenbar sehen, daß sein Herz dabey nicht edel dachte.
Titel, Rang, Reichthum u. s. w. machen nur alsdann
Ehre, wenn sie die Folgen edler Handlungen sind. Gibt
uns unser Gewissen das Zeugniß, daß wir edel denken
und edel handeln, so fühlen wir unsere Menschenwürde
so erhaben, daß wir lieber das Leben, als die Ehre
verlieren wollten.

Möchte Tugend, Religion und Ehre uns zu einem freien, opulenten, gesitteten, christlichen Volk
noch immer mehr heranwachsen machen! Das ist mein
Verlangen, dies sind meine Wünsche!

Carlsruhe den 19 Sept. 1781.

Carl Friedrich
Markgraf zu Baden.

Beyträge

zu einer

Beschreibung der Markgraffchaft Baden.

Erster Beytrag.

Beyträge

zu einer

Beschreibung der Markgraffchaft Baden.

Erfter Beytrag.

So wie das Badifche Haus nicht zu der Gröffe und
Macht geftiegen ift, wozu es fein hoher und alter Urfprung zu
berechtigen fchien; fo haben auch deffen Länder nicht
diejenige innere Stärke und Confiftenz, welche fie nach
ihrer Gröffe, Bevölkerung und Fruchtbarkeit fowohl
als nach der Gelindigkeit und Weisheit der Regierung
haben könnten. Diefes kommt daher, daß fie auffer-
ordentlich zerftreuet und voneinander abgefondert
liegen. Sie enthalten zufammen ohngefähr 65 bis 70
deutfche Quadratmeilen und liegen theils an dem rech-

ten Rheinufer zwischen Basel und dem Bisthum Speier; theils auf dem Hundsrücken, theils endlich unter luxemburgischer und französischer Hoheit. Die zwey größte zusammenhangende Stücke sind erstlich die eigentliche Markgrafschaft Baden, die von Schwarzach bis Graben oder von Mittag bis Mitternacht 15 Stunden lang, und von Niessen bis an den Rhein oder von Morgen gegen Abend 11 Stunden breit, an mehrern Orten aber, um vieles schmäler ist und an welche sich die Grafschaft Eberstein anschließt; sodann die Herrschaft Röteln, Landgrafschaft Sausenberg und die obere Vogtien der Herrschaft Badenweiler, welche zusammen acht Stunden lang und 5 bis 6 Stunden breit sind. Alle übrige Badische Länder sind so zerstreuet, daß oft nur ein Dorf und nirgends mehr als drey Quadratmeilen in einem Zusammenhang angetroffen werden.

Die nachtheilige Folgen dieser Lage sind sehr beträchtlich. Solche einzelne kleine Stücke hangen gemeiniglich allzusehr von übermächtigen Nachbarn ab. Ein sehr großer Strich von Landesgränzen muß mit ansehnlichen Kosten unterhalten werden. Alles dieses veranlaßt unzählige verdrießliche Streitigkeiten mit allen Staaten. Für einen Flecken oder wenige Dörfer muß oft mit großen Kosten ein besonderer Beamter und Verrechner angestellt werden. Die Communication der Beamten und Unterthanen unter sich, die Absendung der Befehle und Notificationen wird erschwert. Manche sonst gute Anstalten für Gewerbe, Cultur und Ordnung lassen sich gar nicht oder mit weniger Erfolg durchsetzen. Der Geist und Charakter der Untertha-

ner ist sehr verschieden und erfordert also eine besondere Aufmerksamkeit der Landesregierung. Die Geseze
selbst sind nicht einförmig und erschweren dadurch die
Amtsführung der Landes-Collegien und Beamten. In
der Markgrafschaft Badendurlach ist ein gedrucktes
Landrecht und eine gedruckte Landesordnung eingeführt.
Nur hat das mit Fürstenberg gemeinschaftliche Prech-
thal seine eigene Thalrechte und in einigen neu er-
worbenen Orten wird das Würtembergische Landrecht beobachtet. In dem Badenbadischen Landes-
antheil ist ein Landrecht und eine Landesordnung eingeführt, die beide nicht gedruckt und überdieß hin und
wieder dunkel und unvollständig sind. In der vordern
Grafschaft Sponheim wird das churpfälzische Landrecht, in der hintern Grafschaft Sponheim eine nur
wenige Gegenstände umfassende Untergerichtsordnung
befolgt.

Die meiste Badische Länder sind fruchtbar, vorzüglich die Oberämter Durlach, Hochberg, Mahlberg, Röteln, Badenweiler, das Gernsbacher und
Bühlerthal, die Aemter Stein und Rhodt.

Hingegen sind auch einige Gegenden sehr rauh.
In Geröspach und einigen andern Orten des obern
Schwarzwaldes scheint ein ewiger Winter zu herrschen.
Der größte Theil der Grafschaft Eberstein ist voll stei-
ler Berge, und auf dem Hundsrücken sind viele un-
fruchtbare Pläze. Alles dieses läßt sich eher in der
Beschreibung der einzelnen Aemter, als im allgemei-
nen erzählen. Es sey genug hier zu bemerken, daß
Salz das einzige nöthige Bedürfnis ist, welches dem

Lande ganz fehlt. Gold wird in dem Rhein bey Scherck, Kniellingen, Dachslanden und Au gewaschen. Silberbergwerke sind in dem Durlachschen Oberland; Eisenwerke in dem Oberamt Pforzheim und in dem Bühlerthal. Ein Kupferbergwerk ist zu Fischbach in dem Amt Herrstein. In dem Oberamt Birkenfeld wird viel Agat gefunden, geschliffen und ausgeführet. In den Landen disseits des Rheins findet man viele schöne Gattungen von Granit, Jaspis und Marmor, die in Karlsruhe verarbeitet werden. Viele Gegenden, besonders die Aemter Durlach, Pforzheim, Steinbach, Hochberg, Rötteln und Badenweiler bringen gute rothe und weiße Weine in sölcher Menge hervor, daß sie kaum alle im Lande verzehrt oder in den benachbarten, auch an Weinen reichen Gegenden verkauft werden können. Die Ausfuhr des Hanfs aus der Markgrafschaft Hochberg, des Holzes aus der Grafschaft Eberstein und Herrschaft Grävenstein, des Krapps und Heues aus der untern Markgrafschaft Baden, ist beträchtlich. In einigen Gegenden ist eine schöne Viehzucht, und aus dem Oberamt Badenweiler werden viele Schweine ausgeführt. Die warme Bäder zu Baden und Badenweiler sind von anerkannter guter Wirkung. Das Bad zu Langensteinbach ist in unterschiedenen Krankheiten nützlich, und das Mineralwasser zu Hambach in dem Oberamt Birkenfeld wird dem Selzerwasser beinahe gleich gesetzt.

Handel und Gewerbe werden durch eine gelinde Regierung, gute Justizverwaltung, Reinhaltung des Landes von Strassenräubern und durch vorzüglich gute Strassendämme erleichtert, auf denen man nicht durch Weggelder aufgehalten und beschweret wird.

Die zu der Markgraffchaft gehörige Berge machen einen großen Theil des Schwarzwaldes und des Hundsrücken aus. Die höchsten darunter find der blaue Berg oder Hohenblau in der Herrschaft Badenweiler und der Staufenberg bey Baden.

Der vornehmste Fluß, der die Badische Lande wegen feines ungestümmen veränderlichen Laufs vielleicht mehr kostet, als er ihnen einträgt, ist der Rhein, welcher vortrefliche Salmen und Karpfen liefert. Nächst diesem ist die in dem Würtenbergischen Schwarzwald entspringende, nicht weit von Rastadt in den Rhein fliessende Murg, wegen des Holzflözens wichtig. Gleichen Nuzen haben die Enz, Würm und Nagold, die nur einen kleinen Theil des Landes durchfliessen, sich bey Pforzheim vereinigen und sich in den Neckar ergiessen. Die Alb entspringt in dem Würtenbergischen nahe an den badischen Gränzen und ergießt sich in den Rhein, zwischen Eggenstein und Knielingen. Die Pfinz entspringt in der untern Markgraffchaft und fällt bey Rußheim in den Rhein. Die Oos durchströmt das Amt Baden und fließt bey Rastadt in die Murg. Die Schwarzach ergießt sich an dem südlichen Ende der Markgraffchaft in den Rhein. Die Kinzig fliesset bey Kehl, die Schutter bey einigen Ortschaften der Herrschaft Mahlberg. Die Elzach durchströmt die Markgraffchaft Hochberg. Die Cander und Wies fliessen durch die Herrschaft Rötein. In dem Sponheimischen ist die Nohe zu bemerken, welche durch die Aemter Birkenfeld, Jdar, Naumburg und Herrstein fliesset und einem an ihren Ufern wachsenden leichten Wein den Namen gibt.

Die Haupteintheilung der Badischen Lande, war
in die Markgraffchaft Baden-Baden und Baden = Durlach; zu erfterer gehörte der obere Theil der eigentlichen Markgraffchaft Baden, die Markgraffchaft Eber-
ftein, Kehl, Saufenberg, die Herrfchaften Mahlberg
und Gräfenftein, zwey Fünftheile der vordern Graffchaft Sponheim, die Hälfte der hintern Graffchaft
Sponheim und die Befitzungen unter luremburgifcher
und franzöffifcher Hoheit. Zu der Markgraffchaft Durlach gehöret die untere eigentliche Markgraffchaft
Baden, die Markgraffchaft Hochberg, die Herrfchaften Röteln und Badenweiler, die Landgraffchaft
Saufenberg. Ueberdies ift das ganze Land in folgende
Aemter getheilt :

I.) In der eigentlichen Markgraffchaft Baden, die
    Baden-Badifche Befitzungen, nämlich :

Das Oberamt Raftadt,
Das Amt Baden,
Das Amt Ettlingen,
Das Amt Steinbach,
Das Amt Bühl,
Das Amt Stollhofen.

Sodann die durlachifche Befitzungen nämlich :

Das Oberamt Karlsruhe,
Das Oberamt Durlach,
Das Oberamt Pforzheim,
Das Amt Stein und die neu erworbene Stücke,
    nämlich :

Das

Das abgesondert im Craichgau gelegene Amt
  Münzesheim,
Das jenseits des Rheins bei Landau gelegene Amt
  Rhodt,
Das eigentlich dem jüngsten Prinzen des Herrn
  Markgrafen gehörige Amt Gondelsheim.

II.) In andern Ländern dißeits des Rheins; nämlich:

Das Oberamt der Grafschaft Eberstein zu Gernsbach,
Das Amt Gernsbach, worunter die mit dem Bisthum Speyer gemeinschaftliche Stücke der Grafschaft Eberstein gehören,

Das Amt Kehl,
Das Amt Staufenberg,
Das Oberamt Mahlberg,
Das Oberamt Hochberg zu Emmendingen,
Das Oberamt Badenweiler zu Mühlheim,
Das Oberamt Röteln zu Lörrach, das die große
  Herrschaft Röteln und Landgrafschaft Sausen-
  berg unter sich begreift.

III,) Jenseits des Rheins auf dem Hundsrücken,
  größtentheils zur Grafschaft Sponheim gehörig:

Das Amt der Herrschaft Grävenstein zu Rhodalben,
Das Oberamt Kirchberg.

1. B.   G

Das Amt Dill zu Kirchberg.

Das Amt Naumburg   zu Herrstein.

Das Amt Herrstein   — —

Das Amt Martinstein   — —

Das Amt Sprendlingen.

Das Oberamt Birkenfeld.

Das Amt Jdar zu Birkenfeld.

Das Amt Winterburg.

Das Amt Winningen.

IV.) Unter fremder Hoheit

Das Amt Bienheim im Elfaß am Rhein.

Das Amt Rodemachern.

Das Amt Hespringen.

Endlich können noch hieher gerechnet werden die mittelbare Aemter der Klöster Frauenalb, Lichtenthal (*) und Schwarzach, der Familien von Gemmingen, von Leutrum und von Reichenstein.

In geistlichen Dingen stehen die katholische Baden-badische Länder disseits des Rheins unter den Bischöfen von Speier und von Strasburg. Beyde Diöcesen scheidet die Oos bey Baden, welches unbeträchtliche Flüßgen auch vormals die Gränze zweyer teutscher Hauptprovinzen des Rheinischen Frankens und Allemanniens war.

Die Länder auf dem Hundsrücken werden zu den Diöcesen von Mainz, Trier und Mez gerechnet. Doch

---

*) Dieses Amt gehört gewissermaßen zu dem Amt Baden.

wird allda hin und wieder dieser sich zum Theil auf die bekannte Clausel des Ryswikischen Friedens gründenden geistlichen Gerichtsbarkeit widersprochen. In dem ganzen Land sind, außer dem Collegiat Stift Baden, dem adelichen Kloster Frauenalb, und dem evangelischen Fräulein Stift zu Pforzheim, 9 Manns- und 5 Frauen Klöster und Hospitien. Die viele Reformirte in der vordern Grafschaft Sponheim stehen in Kirchen-Sachen unter dem Inspectorat Kirchberg.

Die Evangelisch Lutherische in der Grafschaft Sponheim haben drei Special Superintendenten, zu Birkenfeld, Idar und Winterburg.

Diesseits des Rheins sind folgende Lutherische Special-Superintendenten:

Zu Karlsruhe, wozu auch Rhodt gehöret; zu Durlach, wozu Gondelsheim und Münzesheim gerechnet werden; zu Pforzheim, dem auch das Amt Stein untergeben ist.

Zu Mahlberg wozu die evangelische Gemeinde in Kehl gehört.

Zu Emmendingen,

Zu Mühlheim,

In der Herrschaft Rötteln,

In der Landgrafschaft Sausenberg.

In allen diesen Ländern sind 21 Städte, 13 Flecken und 598 Dörfer und Weiler. Die Anzahl der Einwohner, die eher zu = als abnimmt, beträgt gegen 200000. Eine Bevölkerung die nach Verhältnis der Größe ausserordentlich stark ist; da ohngefähr 2700 Menschen auf eine Quadratmeile kommen. Nach dem Durchschnitt von fünf Jahren wurden in dem Baden-durlachischen Antheil, auf 803 in einem Jahr eingesegnete Ehen, 3435 Kinder gebohren; es kamen also auf jede Ehe 4¼ Kinder; mithin auf 4 Ehen ein Kind mehr als Süsmilch berechnete. Dagegen waren nur 2542 gestorben; es war also das Verhältnis der Gebornen zu den Verstorbenen wie 134¾ zu 100. Dieser große Ueberschuß der Gebohrnen rührt zum Teil von der Güte der Luft und zum Teil daher, daß in dem ganzen Land keine große und ungesunde Städte sind. Das Verhältnis der gebornen Knaben zu den Mädgen war, wie 21½ zu 20. Die Einkünfte des Herrn Markgrafen werden gemeiniglich auf zehen bis eilfmalhundert tausend Gulden gerechnet; ihre hauptsächlichste Quellen sind:

1) Die beträchtliche Kammergüter, Waldungen, Wein = und Fruchtzehenden des Landesherrn.

2) Die Jagd und Fischerey;

3) Die Rhein = Zölle zu Weisweil, Hügelheim und Schröck;

4) Das Ohmgeld, das gegen 50000 Gulden eintragen soll.

5) Der Pfundzoll oder Ueld;

6) Die Manumissions Taxen, welche bey Aufhebung der Leibeigenschaft vorbehalten worden sind.

7) Die Abzugsgebühren, welche sich jährlich vermindern; weil mit vielen benachbarten Staaten, unter andern erst ganz kürzlich mit Würtemberg und der Reichs = Stadt Offenburg eine wechselseitige gänzliche Abzugsbefreiung vestgesetzt worden ist,

8) Das Stempfelpapier und die Gerichtssporteln, welche gröstenteils dem Landesherrn verrechnet werden und allmählig vermindert werden sollen.

9) Die Vermögenseonfiscationen und Geldstrafen; welche dadurch merklich abgenommen haben, daß der Herr Markgraf denen Weibspersonen, welche sich in Unzucht vergehen und ihre Schwangerschaft frühzeitig anzeigen, nicht nur alle Leibesstrafe, sondern auch einen Teil der Geldstrafe, zu Verhütung des Kindermords nachläßt.

10) Die Verlassenschaften der Bastarde, welche ohne Leibserben und Testamente sterben; vermög Freyheitsbriefs Käiser Friederichs III. vom Jahr 1462.

11) Die Schatzungen und Becten,

12) Die Frohnden.

Diese Abgaben sind zwar sehr beträchtlich; aber es ist auch kein Land, worinn den Unvermögenden, Geldstrafen und Rückstände leichter nachgelassen werden, als in der Markgrafschaft Baden, wo die gute Staatswirthschaft immer erlaubt, einen Teil der Einkünfte zu missen.

Der Markgraf regieret so uneingeschränkt, als irgend ein Reichs-Fürst. Keine Landstände und nur wenige Verträge und Privilegien binden ihm die Hände. Dennoch ist seine Regierung gelind und er, weit von den niedrigen Künsten entfernt, womit in manchen Staaten eine Vermehrung der Einkünfte und Bedrückung derer, die Kopf und Muth haben, für die Rechte der Menschheit zu sprechen, gesucht wird.

Die Landescollegien sind 1) das geheime Cabinet, worinn ausser dem Landesherrn und Erbprinzen, drei würkliche adeliche geheime Räthe sizen, und hauptsächlich Gnaden- und Fürstliche Familien-Sachen behandelt werden. 2) Das geheime Rathscollegium, welches aus den nemlichen Personen und einigen andern geheimen Räthen bestehet, auch das nemliche Sekretariat und eben dieselbe Schreibstube hat. In demselben werden einige Gnaden-Sachen, die wichtigste allgemeine Landesangelegenheiten, die beträchtlichste Streitigkeiten mit Nachbarn, die Post- und Archiv-Angelegenheiten, die von der Regierung vorgeschlagene Gesetze und die Criminalsachen, welche von der Regierung zur Unterschrift des Landesherrn gebracht werden, behandelt.

3) Die Landesregierung oder das Hofrahts-
collegium, welches aus Lutherischen und einigen Catho-
lischen Räthen, die auf einer adelichen und einer gelehrten Bank sizen, bestehet. Vor dasselbe gehören
die allgemeine Landespolizeianstalten, die Berichtigung
der Landesgränzen, die meiste Streitigkeiten mit Nachbarn und Vertheidigung der fürstlichen Gerechtsame,
die Aufsicht über das catholische und reformirte Kirchen-
und Schulwesen, auch milde Stiftungen, Criminalsachen, Dispensationen, Receptionen, Zunftsachen,
Vorschlagung der Amt- und Stadt-Schreiber, Bestätigung der Orts-Vorgesezten u. s. w. Zur Aufsicht
über die Gemeinds-Cassen ist eine besondere Commini-
deputation aus diesem Collegio niedergesezt, zu welcher Rechnungsverständige gezogen werden.

4) Das Hofgericht, welches aus sämmtlichen
Regierungsräthen bestehet, aber ein besonders Protokoll und Sekretariat hat. Vor dasselbe gehören die
Civil Justizsachen unmittelbarer Personen in erster In-
stanz, die Appellationen von den Aemtern des Landesherrn, der Klöster und Vasallen, endlich die
auf Leben und Tod gehende Criminalsachen und
die Prüfung und Vorschlagung der Advocaten. Der
Markgraf selbst läst sich wegen der Rechte seines
Fiscus bei demselben belangen. Unter diesem Collegio stehet die im Jahr 1781 errichtete Consultations-
deputation, die aus einem adelichen und zween un-
adelichen Mitgliedern des Hofgerichtes und drei Advocaten, wovon einer zugleich das Protokoll zu führen
hat, bestehet. Diese Deputation hat nicht nur denen
Parthien, die es verlangen, Auskunft zu geben, oft

es rathsam sey, Appellationen gegen amtliche Bescheide fortzusezen, oder vorgeschlagene Vergleiche einzugehen; sondern auch diejenige eigentlich vor die Aemter gehörige Processe zu entscheiden, worinn ein Teil auf ihren Ausspruch provociert. Zugleich ist sie angewiesen, möglichst für Abkürzung der Rechtsstreite und Bewirkung der Vergleiche, zu sorgen.

5) Der Kirchenrath und das damit verbundene Ehegericht besteht aus den evangelisch lutherischen Räthen der Regierung und aus mehrern geistlichen Kirchenräthen. Es hat alle evangelische Kirchen- und Schul-Sachen, Prozesse gegen geistliche Personen und über geistliche Gegenstände nebst der Aufsicht über die milden Stiftungen zu besorgen. Es schlägt dem Landesherrn die Personen zu Pfarr- und Schuldiensten vor. Das Waisenhaus zu Pforzheim stehet unter einer besondern aus Mitgliedern des Kirchenraths und der Renntkammer bestehenden Deputation.

4) Die Renntkammer, deren adeliche Mitglieder außer dem Präsidenten, Aßessoren heißen. Sie verwaltet die landesherrliche Kammergüter, Einkünfte und Ausgaben; so wie die von den Unterthanen zu gemeinen Landesbedürfnissen unter dem Namen der Landeskosten und Landschaftsgelder bezahlt werdende Abgaben. Unter ihrer Aufsicht führt der Procuratorfisci die fiscalische Processe. In denen Sachen, die Handelsfragen, oder die Verbesserung des Nahrungsstandes der Unterthanen, die Anlegung von Fabriken, Mühlen und Wirthschaften betreffen, communiciret sie mit der Regierung. Unter ihr stehet die Rechnungs-

Landschaft, welche die Rechnungen prüft und ihre Bemerkungen der Rentkammer vorlegt.

Die Lage des nicht zusammenhängenden, fast
auf allen Seiten offenen von weit mächtigern Nachbarn umgebenen Landes, gestattet dem Markgrafen
nicht, auf eine andere Vergrößerung zu denken, als
auf solche, die sich durch eine gute Staatswirthschaft,
durch weise Regierung und glückliche Vermählungen
oder Unterhandlungen erwerben läßt. Nach der rühm-
lichen Regierung des Markgrafen Friederichs von
Durlach, nahm deswegen kein Badischer Markgraf einen eigenen Antheil an irgend einem Krieg. Man ließ
vielmehr alle Festungen eingehen und der Kriegsstaat
war immer wenig zahlreich. Unter der iezigen Regierung wurde derselbe auf einen etwas veränderten Fuß
gesezt. Jezt wirklich unterhält der Markgraf eine
Leibwache zu Pferd von ohngefähr sechszig Mann,
die aber gegenwärtig nicht beritten ist; etlich und zwanzig Husaren, die hauptsächlich für die öffentliche Sicher-
heit und Beobachtung der Polizeyerordnungen wachen
müssen; ein Leibregiment zu Fuß, das aus zween Bat-
taillons und acht Compagnien iede zu 70 Mann bestehet,
und zwei Füsilierbataillons, deren iedes vier sehr starke
Compagnien hat; sodann einige Artilleristen und Invaliden.

Das Forstwesen ist in sehr gutem Stand und
stehet unter einem Oberjägermeister, der iezt zugleich
Oberforstmeister von Karlsruhe ist. Ausser diesem sind
folgende besondere Oberforstämter in dem Lande, von
denen iedes einen adelichen Oberforstmeister hat.

Pforzheim, Rastatt, Eberstein, Mahlberg, Hochberg, Röteln, Kirchberg und Sulzenfeld.

Der Hofstaat ist ziemlich beträchtlich: Der Oberkammerherr hat ohngefähr dreißig Kammerherren, der Hofmarschall aber, welcher zugleich das erste Mitglied des Marschallamts ist; die Kammerjunker, Hofjunker, Edelknaben und die ganze übrige Hofdienerschaft unter sich. Ausser diesen Personen sind ein Oberhofmeister, ein Oberschenk, Oberstallmeister, ein adelicher und mehrere andere Stallmeister angestellt.

Briefe

aus Schwaben:

und Schwefel

Dritte

Briefe
aus Schwaben.

Schloß Hohenzollern.
August 1784.

— — Unsre Absicht war, die Sonne auf der Veste Hohenzollern heraufsteigen zu sehen. Wir begannen folglich schon vor drey Uhr von E— einem zwey Stunden entfernten würtembergischen Dörfchen aus unsre Wallfahrt anzutretten. Aber der Himmel hatte sich überzogen, und von Südwest her trieb der Wind ein Gewölk, das ein mächtiges Gewitter drohte. Indessen herzog sich dieß, und ergoß über uns einen sanften Regen, der uns zwar das Bergsteigen sehr erleichterte, aber den gehofften herrlichen Anblick raubte. Zollern ist freylich kein Aetna: allein wenn man sich mit dem Mittelmäßigen begnügen muß, so wünscht man das wenigstens so gut zu haben als möglich.

Von Zimmern aus, einem dem Fürsten von Hohenzollern-Hechingen gehörigen Dörfchen, stiegen wir ziemlich steil empor. Der Weg windet sich in Schlangengängen um den Berg. Die Gestalt des Bergs ist ganz kegelförmig, folglich vulkanisch, so viel ich weis. Auch steht er von der Kette der rauhen Gebirge, die ich noch zur Wörtenbergischen Alp rechnen lassen, beynahe völlig isolirt. Nach ungefähr zwey Dritteln seiner Höhe, erhebt er sich steiler, und eine Menge in dieser Höhe zu ungewöhnlicher Größe luxurirender Pflanzen bekleidet ihn. Da ich ihn erstiegen hatte, konnt ich auf die Glaze des gegenüberliegenden Berges hinuntersehen, so wie mir vorher von dortaus Zollern niedriger geschienen hatte. Ich löste mir das Problem psychologisch auf: Wir bringen ja überall unsere eigene Größe mit!

Vor dem ersten Thor ruhten wir aus. Man hat hier ostwärts auf nahe gegenüberliegende senkrechte Felsenwände die Aussicht. Mahlerisch war der Anblick von einigen Weibern, die schwindelnd tief unter uns am Berg hiengen, und Erdbeeren suchten. Auch zeigt sich von hieraus unten eine für diesen geschlossnen Anblick passende, einsame Kapelle, auf welche die gottselige Ritter im Gefühl ihrer Sünden weiland hinabblicken mogten, wie die Israeliten zur ehernen Schlange weiland hinaufblickten. Ist's nicht eine treffliche Sache um einen Glauben, der die Genesung an Leib und Seele so leicht macht?

Die Festung hat drey Hauptthore, deren iedes durch einige eisenbeschlagene Thüren bewahrt wird.

So wie man zum ersten Thor hineintritt, sieht man eine nach der Innschrift im Jahr 1668 aufgeführte Mauer, die schon im Geist der neuern Zeiten gebaut zu seyn scheint. Denn sie fängt bereits an, wieder einzufallen. — Auch die äußern Mauern wurden eben itzt an einigen Stellen wieder ausgebessert. Am zweyten Thor stießen wir auf eine Heerde Böcke. Außer diesen besteht die Besatzung aus drey Invaliden, denen man's an den Trümmern einer gelben Weste, und den, in ein dünnes Zöpfchen gebundenen grauen Reliquien ihrer Haare noch ansahe, daß sie ehemals Soldaten gewesen waren. Das Gefühl von Wichtigkeit, das man bey solchen guten alten Kriegern antrift, und der Antheil, mit dem sie von Schlachten erzählen, denen sie ehemals beywohnten, wie wenns ihr Verdienst und ihre Sache gewesen wäre, erregt in mir gewöhnlich sehr vermischte Empfindungen. Daß sie nicht gelähmt, oder Krüppel oder zerschmettert wurden, daran sind sie so unschuldig, als die Kanonenkugel, die zum Glück in der Entfernung einer Linie an ihnen vorbeyflog, oder als sie an der Ursache unschuldig sind, um deren Willen sie sich sollten lähmen, oder zu Krüppeln schießen lassen. Ueberhaupt, scheint mir's, denken unter allen christlichen Religionsparthien die Quäcker und unter allen Lehrern des Naturrechts Pfeffel in seinem Rezept wider den Krieg über diese erste Angelegenheit der Menschheit am konsequentesten. Daß christliche, ich sage nicht, jüdische Theologen, in ihren Kompendien versteht sich, den Krieg wenigstens zwischen Christen iemals gestattet haben, ist der seltsamste Widerspruch, und er wär unbegreiflich, wenn nicht in solchen Fällen Widersprüche — gerade das begreiflichste wären.

Die ganze eigentliche Festung umfaßt ein ziemlich
breiter Vertheidigungsgang, wo man in einem präch-
tigen Halbzirkel der lachendsten weitverbreitetsten Aussicht genießt. Die Sonne begann sich nun mählig
durchzuarbeiten. Doch hieng noch rund um den Horizont ein Vorhang von aufwallendem Nebel, der
nach und nach im blauen Himmel sich verlohr. Man
sehe von hieraus, sagt Sander, mit einem Fernrohr
gegen zweyhundert Ortschaften. Sey's wahr oder
nicht. Aber herzerhebend ist der Anblick so vieler Dörfer und Städte mit der Abwechslung von nachtschwar-
zen Tannenwäldern, grünen Wiesen und goldenen Aeckern.
Ich übersehe von hieraus den ganzen Schauplatz, auf
dem ich bis itzt manche Rolle — oft als bloße Drath-
puppe gespielt hatte!

Wir kamen durch ein verfallenes Gewölbe statt
durchs Thor in die Festung. Im Hof, den die im
Viereck angelegte Gebäude bilden, nehmen sich einige
Lindenbäume schön aus, und erhöhen das Gefühl von
Alterthum, in dessen graue Zeiten man sich hier versetzt
glaubt. — Mit Wasser aus dem wohl schwerlich
dreyßig Schuhe tiefen küpfernen Brunnen mögt ich
mich nicht vergiften lassen. Die kleine Kapelle, welche
die Veranlassung zur Erbauung des ganzen Schloßes
gewesen seyn soll, enthält nichts merkwürdiges, als die
gewöhnlichen Beweise menschlicher Schwäche. Anzie-
hender ist das Zeughaus, wo noch an jeder Säule eine
vollständige alte Ritterrüstung Schildwache steht, Helme
verschiedener Art und Form, eiserne Harnische auch
von jungen zehen bis zwölfjährigen Grafen von Zollern,
Eisenhandschuhe, Panzerhembde von grobem Eisendrath,

Schwerd-

Schwerdtern, einige zackigt, andere zweyschneidig, sechs Schuhe lang und länger, alles erinnerte mich an den verschiedenen Genius jener Zeiten und der unsrigen, und ich bedaurt eben nicht, daß diese alten Denkmale körperlicher Stärke und Wildheit itzt im Winkel verrosteten, so wehe es freylich dem biedern mannhaften Ritter thun müßte, wenn er wieder käme, und auf dem einst so hell polirten Stahl diese Flecken erblickte. Wer hätt es glauben sollen, daß die, wie es schien, aus der Hölle heraufgehohlte Erfindung des Pulvers, die Sitten milder und den Krieg menschlicher machen, und den Eigenschaften der Seele ihren verdienten Vorzug vor blosser grösserer Lenksamkeit und Straffheit der Muskeln wiedergeben würde? Diese Betrachtung ward noch lebhafter, als ich die plumpen Standröhren aus den ersten Anfängen der Kunst sahe, die man mit Lunten losfeuerte, und die Gabeln, auf denen man sie auflegte. Ich dacht' an den Gang aller menschlichen Erfindungen, und so gerieth ich in dieser Ideenverbindung auf Phantasien über die Einflüsse der Luftmaschinen nach einem Jahrhundert. Ich schiffte mich ein auf der Höhe dieses Bergs, flog rasch und leicht hinweg über die Städte und Dörfer und Hügel unter mir, und landete — an der Erinnerung, daß alles dieses noch nicht sey.

Was sonst noch merkwürdig ist von den Kasematten, den Roß-und Handmühlen, mag dir Sander erzählen, außer du wolltest wissen, wie viele Pfunde Ihre Durchlaucht, die gnädigste Fürstin von Hechingen den 1 May 1784 gewogen haben. Hundert und sechs Pfunde, wie zu lesen steht auf einem neben einer mäch-

tigen Wage angenagelten Papierchen — Traun! Das
Wichtigste, was man von manchem Fürsten sagen
kann. Indessen ist's immer sehr wenig für eine Durch‐
laucht. Ihro Hochwürden der Herr Hofkaplan wogen
freylich einen Zentner weiter. Nach dem Zeughaus
war mir das unterhaltendste ein rundes Zimmer in ei‐
ner der Bastionen des Schloßes, mit getäfelter in
verschiedene Fächer abgetheilter Decke, die, freylich
von einem Sudler hingeklext, verschiedene Mahlereyen
enthält. Als da ist zu sehen Wittekindt König von
Sachsen und Engern, ein Sohn Herzogs Wernekin zu
Sachsen, und des itzigen Königs in Frankreich Stamm‐
vater. Neben ihm Bruno, des Kön. Wittekind des großen
leiblicher Bruder, Herzog zu Sachsen und Engern,
der itzt lebenden Grafen zu Hohenzollern Stammvater.
In einem andern diesem symmetrisch gegenüber stehen‐
den Fach erblickt man Johann Georg, den Grafen,
der dies Zimmer bemahlen ließ, den Hut in der Hand
in einem unterthänigen Bückling begriffen, dem Ludwig
XIII. K. v. Fr. freundlich auf die Achsel klopft. Am
Gebälk umher stehen folgende Verse und Innschriften.
(Jene häb ich bis auf eine Stelle, die unleserlich war,
ganz, diese nur nach ihrem wesentlichen Innhalt abge‐
schrieben):

Wohl recht und billig wird gemalt
Das wankend Glück in Weibsgestalt,
Stehend auf einer Kugel rund,
Weil es sich wendt zu aller Stund,
Oder auf einem Rad unstät,
Dieweil es stets chrumbergeht,

Den einen hoch empor es hebt,
Dem andern aber widerstrebt!
Dignität, Land, Leut und Gut
Gar ungleich es austheilen thut.
Dem einen gibt's ganz Königreich,
Den andern macht's zum Fürsten reich,
Dem dritten schenkt es große Land,
Den vierten hält's im mittlern Stand,
Obschon dieselb all insgemein
Aus einem Stamm entsprungen seyn,
Dahero offt erfolgen thut,
Daß etliche von einem Blut
An Stand einander sind ungleich:
Der Ein wird arm, der ander reich.
Welcher dessen ein Prob begehrt,
Derselb betracht diß Gmäld unbschwehrt.
Denn gleich hieneben thut man sehen
Zwey Brüder bey einander stehen,
Welche gebohren wurden zwar
Aus einer Mutterleib fürwahr,
Darumb sie deß zu einem Zeichen
Einander thun die Hände reichen.
Der eine sich ein König schreibt,
Der ander ein Herzog verbleibt.
Mit König Wittekindt genannt
Das Glück sich wunderbarlich wandt,
Daß er ein mächtiger König wär,
Der Krieg führt neun und dreyßig Jahr,
Wider Kayser Carolum den Großen,
Der ihn zuletzt vom Reich thät stoßen,
Von dem er ward zur Tauf gebracht,
Vom König zum Herzog gemacht.

Sein Sohn auch Wittekindt genannt,
Der führet auch den Grafenstand,
Von dem auch seine Posterität
Viel Jahr also verbleiben thät,
Bis auf Hugonem, den Chapler genannt,
In der History wohlbekannt

— — — —

— — — — Unbeständig Glück
Welches auch wohl erfahren thät
Herzog Brunonis Posterität.

— — — — —

— — — — — — —

Ein Mächtiger König zwar,
So haben doch seine Nachkommen
Den Grafenstand an sich genommen.
Das Glück hat sie in's Wälschland trieben,
Darinn sie doch nicht lang geblieben,
Sondern seynd wieder nach Deutschland kommen,
Haben die Grafschaft Zollern eingenommen,
Wie dann entsprungen ist hieraus
Das Gräflich Hohenzollerisch Haus,
Wie es in diesem Thurn * auch wird
Gar deutlich und wohl ausgeführt.
Daher ein jeder zum Beschluß
Dieß wöll vernehmen ohn Verdruß:
Gleichwie an einem Weinstock seyn
Zerschiedne Trauben groß und klein,

---

*) Dies bezieht sich auf die genealogische Nachrichten in
eben diesem Zimmer.

Auch an einem großen Baume fäst
Sowohl stehn klein als große Näst,
Die doch entsprungen allzumahl
Aus einer Wurzel überall,
Daß also auch herkommen thut
Aus einem Stamm, von einem Blut
Mit jezigem König von Frankreich
Das Hohenzollerisch Haus zugleich.
Deßwegen ein jeder unbschwert merk,
Daß darum wir, Graf Johann Georg
Uns haben hier solcher Maßen
Neben dem König mahlen laßen,
Jedoch mit bloßem Haupt geneigt,
Dadurch die Ehr wird angezeigt
Die uns zu erweisen ziemt und steht
Der königlichen Majestät.
Daß aber der König mit seiner Hand
Uns gleichsam wie es scheint umfangt,
Damit wollen wir zeigen an
Die gnädigste Affektion,
Welche seine königliche Majestät
Mehrmalen uns erweisen thät,
Wie auch dero Herr Vater zugleich
Als uns zweymal in Frankreich
Die kaiserliche Majestät
Als einen Legaten schicken thät,
Zum ersten Kaiser Rudolf zwahr
Im sechs zehnhundert neunten Jahr
Zum König Heinrich dem Großen,
Der uns stattlich empfangen laßen,
Zum andern waren wir Legat
Der jezigen Kaiserlichen Majestät

Zu König Ludoviko gut,

Welcher jezund rgieren thut.

Das geschah, als man noch zälend war

Sechszehn Hundert vierzehn Jahr.

Gott woll Ihr Majestät bewahren

In allem Wohlseyn zu viel Jahren

Und dero königliche Kron.

Auch das Haus Zollern schützen thun

Vor dem ganz wandelbaren Glück,

Daß es nicht mehr beweis sein Tück,

Wie man eben verstanden hat.

Welches uns dann bewegen that,

Daß wir darüber mit Bedacht

Die Reimen selbst haben gemacht

Allen, welche hereinkommen

Damit anzudeuten zu einer Summen,

Warum wir alles solcher maßen

An dieß Ort haben mählen laßen.

1 6 1 6.

In der That sollte man im Jahr 1616 unter den Grafen von Zollern keinen Meistersänger vermuthen. Einen artigen Kontrast macht der ganz treuherzige Ton dieser Reime mit dem kanzleymäßigen wir, und poßirlich genug ist die Mischung von Erniedrigung und Ahnenstolz, übrigens beydes wohl nicht so böse gemeint.

An den Wänden unther standen noch folgende genealogische Data:

Herzog Heinrich, genannt mit dem goldenen Wa

gen, Sohn Graf Ettikonis A. gegen der erste Herzog in Niederbayern. Dessen Sohn und Nachfolger Heinrich II. Graf zu Altorf und Ravensburg — dessen Sohn und Nachfolger Rudolph, Graf zu Altorf und Rav. starb 940. — dessen S. u. N. Welpho. I. Gr. z. A. u. R. dessen S. u. N. Rudolf II. Gr. z. A. u. R. lebt uns Jahr 1029. dessen Gr. u. M. Berthold starb 1040. „ Seine Nachkommen seyen „ mit dem Kaiser nach Italien gezogen, und haben „ daselbst Güter und Länder bekommen, folgends „ wie noch andre, ihren Namen aufgegeben, und „ sich Kolumneser genannt, wovon Petrus Colymna „ Stammvater der jetzigen Grafen von Hohenzollern. „ Friederich, Graf zu Hohenzollern, genannt der Schwarz graf, Sohn Graf Fridrichs Ostertags rc.

Gegen Mittag, nachdem wir der weiten Aussicht noch einmal uns gefreut hatten, stiegen wir herunter nach Hechingen. Was das von unten artige Schloß und die neue in vortrefflichem Geschmack angelegte Kirche betrifft, so verweis ich dich auf den sehr gut sehr richtig und sehr umständlich geschriebenen Aufsatz im VII. Stück von Goeckingks Journal für Deutschland, wo ich nur das nachhohlen weiß, daß der halb brechenden Straße in der Vorstadt nun so ziemlich gut geholfen worden ist. Auch an einem neuen Stadtthor neben der Kirche wird gearbeitet, das sammt der Kirche gegen die alte rauchige Hütchen rings herum einen schwarzen, steinernen Thurm, der einige Löcher statt der Fenster hat, den auffallendsten Kontrast macht. Nimmt man zu dieser Gruppe noch das spießbürgerliche mit allerhand dickbackigten Herren, Emblemen, blinden-Gerechtigkeiten rc. bekleckste Rath-

hand; so erhält man ein so widersprechendes Gemisch
von Eindrücken, daß man nicht weis, ob man bewundern oder lachen, oder sich ärgern soll. Nachmittags
besuchten wir noch die Ehrw. PP. Fránziskaner zu
St. Lukas. Im Convent war mir außer ihrem vorzüglich guten Bier merkwürdig ein heiliger Bonaven-
tura, dem der heilige Geist in Taubengestalt vorm
Ohr sitzt und einsagt. Ich erinnerte mich dabey des
ehrlichen Muhammeds, der seine Taube wenigstens
zu keinem Herrngott machte. In einer von den Zellen
las ich ein für einen P. Franziskaner wirklich erträg-
liches Predigtconcept. — Einer der Religiosen fragte
mich auch nach protestantischen Büchern, besonders nach
unsern neuesten Predigern. Ich nannt ihm Zollikofer,
den er sich merkte. In einem frühern Concept vom
nemlichen Verfasser, der eben durch diese glückliche
Veränderung der Art seines Vortrags sich meine volle
Achtung erwarb, fand ich jene ärgerliche, geschmack-
lose, rhetorische Pedanterey, eine Kopie französischer
Deklamationen, nach der man gewöhnlich die meisten
katholischen Predigten zugeschnitten findet — die ganze
Rhetorik durch alle Modus und Figuren, und im
abscheulichsten, fehlerhaftesten Deutsch — der Fehler
liegt im Mangel an Ausbildung des Geschmacks, und
an Studium einer menschlichen Philosophie, und
dann in unglücklicher Nachahmung französischer Muster,
die man niemals zu Mustern hätte machen sollen. —

Q. (Rauhfeld)

(Diese Briefe werden von verschiedenen Freunden des
Herausgebers, und vom Herausgeber selbst fortgesetzt.)

Bruchstücke

aus

Joh. Casp. Lavater's

Ungedruckten Predigten an

Schriftsteller, Rezensenten

und Leser.

Bruchstücke

aus

Joh. Casp. Lavater's

Ungedruckten Predigten an

Schriftsteller, Rezensenten

und Leser.

Erwecke die Gabe, die in dir ist. Unzählige Talente hat die ewige Weisheit unter die Millionen Einwohner der Erde vertheilt; Keiner von allen ist ganz leer ausgegangen. So wie jeder ein eigenes Gesicht hat, so hat Jeder ein eigenthümliches Talent. Der ist weise, der ist glücklich, der dieß sein Talent erkennt, dieß anbaut, dieß zu entwickeln und zur vollkommnen Wirksamkeit reif zu machen sucht.

Erwecke die Gabe, die in dir ist. So gewiß große Helden und originelle Künstler gebohren werden

und durch keine Kunst der Erziehung geformt oder
geschnizelt werden können, so gewis giebt es gebohrne
Schriftsteller; die Natur hat sie dazu, wie die Helden zu Helden organisirt. In ihren Augen ist der
Meisterblick, der das Ganze der Dinge sogleich und
auf einmal erfaßt; Im Anzelen des Geist des Ganzen, im Ganzen die liebliche Harmonie des einzelen
erblickt, verschlingt, genießt. Sie sehen heller,
richtiger, tiefer als hundert andere. Sie bemerken,
mögt ich sagen, im Namen von tausend ändern. In
ihren Augen ist der konzentrirte Blick einer Welt,
... die Bemerkungen eines Jahrhunderts. Sie sehen
im Namen der Vorwelt und der Nachwelt: Sie haben reinen Sinn für alles Wahre und Schöne, Gute
und Große; Wie ihr Aug, so ihr Wort; Wie ihr
Blick, so ihr Gefühl. Wie ihr Gefühl, so ihre
Sprache. Was sie sagen, das ist gesagt; Was sie
schreiben, bleibt geschrieben; Man kann nichts davon,
nichts dazu thun; Etwas mehr und es wäre zu viel;
Etwas minder und es wäre zu wenig; Etwas anderst
und es wäre durchaus nicht mehr dasselbige. Wahrheit
ist die Seele, Schönheit und Anmuth die Gestalt ihrer
Schriften. Wer sie lieset, lieset sich selbst; Lieset die
Natur; Lieset die Welt und die Menschen; Lieset
das alles leicht, schnell, klar. Sie sind ein allgemeines
Medium der Erkenntniß, der Aufklärung, des Ge-
nusses. Was alle dunkel sahen, sehen sie hell. Was
andere zerstreuten, das sammeln sie in Eins. Aus den
zerworfenen Bruchstücken der menschlichen Erkenntniß
und Empfindung bauen sie ein Majestätisches Ganzes;
Sie erklimmen Höhen, die vor ihnen kein Fuß erstieg,
kein Aug erblickte, Niemand ahndete. Sie bahnen Wege

durch Gesträuche und Felsen, sprengen Brücken über
große Tiefen. Ihr Weg ist im Meer, ihr Fuß-
pfad auf großen Wassern. Sie wittern nie ge-
sehnes Land auf tausend Meilen, wie Kolumbus —
Amerika, wie Kook — Othaheiti; Sie erreichen
Goldgruben und werfen Maßen aus, die sich tausend-
fältig verarbeiten laßen. Ihre Sprüche sind Orakel;
ihre Lehren bilden Menschengeschlechter. Sie geben
Tausendfach, wenn tausend Andere nehmen; Sie bauen,
wenn alles um sie her zerstöhrt; Der Tag fällt auf
alles, was sie anschauen, und was sie berühren, wird
lebendig. Wahrheit ist das Siegel ihrer Sendung und
Unerreichbarkeit das Kreditif ihres Berufs. Ob Unwissenheit sie verachte? Ob Dummheit sie angrinse?
Ob der Zahn des Neides sich vor ihnen entblöße?
Bosheit sie verläumde? Schaalheit sie verhöhne?
Was kümmert's sie? Sie sind, was sie sind, sie
stehen wo sie stehen. Die Sonne leuchtet, ob man die
Augen bedecke. Sie erwärmet, ob man die Fenster-
gardinen vorziehe? Was erwärmt, hat Wärme, ob
man's kalt nenne? Was erleuchtet, ist heiter, ob man's
dunkel nenne; Was wirkt, hat Kraft; Wer giebt,
der hat; Wer Gutes will, ist gut; Wer schafft, kann
schaffen, und wenn tausend Stimmen riefen: Es
kann nicht. Nun wer soll das Schwerdt führen,
wenn der Held nicht? Wer den Szepter, wenn der
Fürst nicht? Die Feder, wenn solche Schriftsteller
nicht?

Alle Gaben sind in uns. Sie gehören zu unsrer
Natur, sind ein Theil unsrer selbst. Eine Seele ohne
Gaben wäre wie ein Leib ohne Glieder und ohne

Sinnen. Die Talente sind die Sinnen unsrer Seele; keine Gabe, von welcher Art sie sey, können wir uns selbst geben, so wenig wir uns ein Glied unsers Leibs oder irgend einen Sinn selbst geben können. Aber was uns gegeben ist, das können wir benuzen. Was in uns verschloßen liegt, das können wir aufschließen; was in uns schlummert, erwecken.

Jedes Leben bedarf seiner Nahrung, jeder Sinn eines Mediums, wodurch er brauchbar wird; alles, was berühren soll, muß erst berührt werden; Fähigkeit wird nie Kraft — ohne Anwendung; nur durch Uebung kann die Kraft zur freyen Allgewalt, zur kaum sich fühlenden Natur werden. Das lebendigste Genie bedarf geistiger Nahrung. Ohne Nahrung lebt keine Pflanze und keine Seelenkraft: Kenntniße, Belehrungen, Erfahrungen sind dem größten Kopfe so unentbehrlich, wie dem gemeinsten. Der Sohn des Königs kommt so arm auf die Welt, wie der Sohn des Bettlers, das Genie, wie der Dummkopf. Wir bringen nichts auf die Welt, als Anlagen und Fähigkeiten. Diese sind gerade so viel, als nichts ohne Anbauung und stuffenweise Entwiklung. — So wenig wir eine Gabe, die nicht in uns ist, erwecken können; so wenig nüzt uns die, die in uns ist, ohne Erweckung. Wer sein Genie nicht erwecken, nicht anbauen, nicht nähren will; Wer Kenntniße verachtet und in der bloßen Erkenntnißfähigkeit sich groß dünkt, handelt unendlich viel thörigter, als der, der unerschöpfliche Goldminen unangebrochen läßt, oder als der, der den kostbarsten Weinberg nicht anbauen will. Du hast nicht, was du nicht brauchst, du besizest nicht, was du nicht anwendest. Nur der genießt, welcher sich nährt.

„ Keine Sünde ist so groß, wie die Sünde wider Sich selbst. Und was ist Sünde, wider Sich selbst, wenn es Vernachläßigung seiner Talente, Nichtgebrauch der eigenthümlichen Gabe, nicht ist? Welche Verantwortung: Können und nicht wollen? Haben und nicht gebrauchen? Reich seyn an Fähigkeiten und an Thaten arm? —

Dein lebendiger Geist suche würdigen Stoff zur Belebung! Sey aufmerksam auf Alles, was deiner Kraft eine bestimmte Richtung giebt. Laß Alles auf dich wirken, was deiner wohlthätigen Wirksamkeit Kraft und Schwung geben kann! Willkommen sey dir jede Gelegenheit zum Beobachten. Schau zur Rechten und zur Linken! Uebe dich, mit der ruhigsten Gelassenheit zu hören, mit nüchterner Ueberlegung zu prüfen! Forsche dem Beßten und Schönsten in jeder Art nach. Das Vortrefflichste sey dir immer gegenwärtig; Das Höchste stehe wie ein strahlendes Ziel unbeweglich vor deinen Augen! Nur Freunde von dem bewährtesten Geschmack und dem reifsten Urtheil seyen deine Richter; und die strengsten Urtheile deiner bittersten Feinde machen dich auf das aufmerksam, was auch nur den Schein von Unvollkommenheit haben könnte! Sammle, prüfe, ordne, sondere, scheide, vergleiche! Setze bald das ähnlichste, bald das unähnlichste zusammen! Wende die Sache auf alle Seite! Mache Entwürfe, die nichts Fremdes und Alles Gehörige in sich faßen! Laß sie wieder liegen! Beobachte wieder, als wenn du noch nie beobachtet hättest! Prüfe von neuem, als ob vor dir noch Niemand geprüft hätte; als wenn von allen Freunden der Wahrheit dir allein der Auftrag gegeben wäre, in ihrem Namen zu prüfen. Prüfe so, daß

du sicher seyn kannst: Jeder Weise, jeder Freund der
Wahrheit, der dir nachprüft, muß mit Ehrfurcht
und Freude rufen: Wahrheit! Wende das Allgemeine immer auf besondere Fälle an, und prüfe jedes
Besondere nach dem Lichthellen Allgemeinen. Denkt
dir verschiedene Versammlungen der besten verehrungs-
würdigsten Männer, die weder deine Freunde noch deine
Feinde, aber unbestechliche Verehrer der Weisheit und
Wahrheit sind, vor denen du lesen sollst, was du
geschrieben hast! Würdest du es mit furchtloser Zu-
versicht lesen können? Würde bey keiner Stelle Un-
behaglichkeit dich beschleichen? Verlegenheit deine
Augen niederschlagen? Würden sie gerne hören? Immer
tiefer schweigen? Immermehr alles um sich her vergessen? Dich vergeßen? Sich vergeßen? Nicht mehr das Zeichen der Sache — die Sache selber wahrnehmen? Nicht
mehr hören? Nur sehen? Nicht mehr sehen? Empfinden? Würd ihnen bang seyn vor dem Ende?
Und würden sie doch am Ende sagen: Man kann
nichts hinzu thun?

Erwecke die Gabe, die in dir ist. Baue
dein Feld! Bearbeite deinen Weinberg! Präge dein
Gold zum umlaufenden Gelde oder zur Ehrenmünze,
oder form' es zum Kleinod! Schleife deine Diaman-
ten; polire sie! Faße sie! Um sie mit Weisheit und
Geschmak, daß sie Freud und Ehre bringen dem der
sie kauft und verkauft, empfängt und besitzt, aufbewahrt
und schauträgt; Freud und Ehre bringen dem, der
diese Gaben dir gab, damit du sie bearbeitet andern
gebest und der jedem Besitzer der manichfaltigen Gaben besonders zuruft: Erwecke die Gabe, die
in dir ist.

Theodorus Rabiosus

über den

schweizerschen Freystaat Solothurn.

Theodorus Rabiosus

über den

schweizerschen Freystaat

Solothurn.

Wer dieser Theodorus Rabiosus etwa seyn mögte?
Ob ein Bruder des berühmten Anselmus Rabiosus,
oder ein Vetter oder gar ein — Bastart von ihm?
das, lieber Leser wollt ich dir herzlich gern sagen,
wenn — ich's selber wüßte. Laß mich also mit
diesem ungeschohren und frage nicht: Wer's gesagt
hat, sondern was gesagt wird. . Man muß
Wunden aufreissen, die man heilen will . . Bist du
aber trauter Leser, etwa ein Großer irgend eines kleinen schwäbischen oder fränkischen Freystaats, so greif
in den Busen deiner eigenen Republik und zehen gegen
eins — du wirst bey dreißig Stellen dieser Briefe
auffahren und darauf schwören, daß man Wesen und

Unwesen deines Städtchens — — ganz individuell
darinn zensirt habe — Und so wär ich dann des
Vorwurfs entschlagen, daß ich in ein schwäbisches
Museum — einen Aufsaz über einen schweizerschen
Freystaat einrücke. Eine Stelle aus dem Briefe des
Verfassers an mich muß ich doch abschreiben: Ich
denke, lieber Herr, schreibt mir Theodor — „es
wird Bauchgrimmen und Diarrheen geben, wenn
Sie diese meine Bemerkungen abdrucken lassen,
denn — die Wahrheit muß rumoren, sagt unser Doktor
Luther, der's ꝛc. wißen mußte. Was ich bin, darnach
haben Sie — nichts zu fragen — Aber ich geb'
Ihnen mein Wort daß ich keine Zeile schrieb, die
sich nicht auf Akta gründet. Ich bin kein Bewohner
der freyen Schweitz und da säße also mein Kopf ganz
fest und sicher auf dem Rumpfe, wenn selbst mein
Name bekannt würde, aber man könnte mir's machen,
wie meinem Landsmann, dem Anselmus Rabiosus,
den die Herren von Glarus so — mit seiner Wa-
benlosigkeit prostituirten — und ich habe eben auch
keine gerade Beine — und eine Braut in Otaheiti —
würden dann meine Füße eben so proskribirt, so könnte
das gute Kind abspringen und — — Ihre Briefe
an mich adreßiren Sie nach Tobolsk, wo ich mich
jezt aufhalte.

Th. Rab.

D. Herausgeber.

Erster Brief.

Solothurn im Herbstmonat
1784.

Sechs Wochen bin ich nun schon in Solothurn, Bruder, und werde wahrscheinlich noch sechs Wochen hier bleiben. Einmahl, dacht' ich, mußt du doch auch einen der gerühmten Schweizerfreystaaten ganz durchstudiren, und da mir der Gedanke gerade aufstieg, als ich nach Solothurn zu wandelte, so blieb ich eben hier. Laß dein Tobaks-Pfeifchen nun ein Viertelstündchen in Ruhe — und lies meine Bemerkungen. Die Zeit, denk ich, soll dir nicht verlohren seyn. denn kennst du diesen Canton recht, so kannst du dir den hellsten Begriff von den meisten andern und wenigstens auch von einem Dutzend deutscher Reichsstädte machen, die ich durchwandert habe.

Man sagte mir, Solothurn, des alten Trier Schwester sey schon zu Abrahams Zeiten gebaut worden. Wenigstens behauptet es Hafner, ihr einziger Geschichtschreiber mit tausend Gründen. Dreymahl war Solothurn schon abgebrannt, wie ihr Abbe Herrmann aus drey aufeinander liegenden verschiedenen Erdarten in dieser Gegend bemerkt haben will. Ehemals rechnete Er und alle Solothurner sich's zur größten Ehre, selbst in Cäsars Kommentaren genannt zu seyn. Sie glaubten es mit recht patriotischem Eigensinne, daß die D C devoti quos illi Soldurii appellant. Cæs. Bell. Gall. l. III. Solothurner gewesen, bis ihnen

ein fremder Student die Binde von den Augen weg-
riß. Daß dießStädtchen ehemahls wackere biderbeLeute
gehabt hat, weißt du aus Nüschelers und Lavaters
Schweizerliedern. Jezt ist Solothurn ein Zwitter
von alter Kraft und neuer Abgefeimtheit. Die französische Gesandtschaft, die viele Dienste in Gallien,
die vernachläßigte Erziehung, die tiefe Dummheit und
die wollüstige Gegend zusammen wirkten allmählig diese
Aenderung — doch so wirst du aus der Sache nie
klug werden — Laß mich da anfangen, wo ein
Weiser den Grund von allem suchen muß, bey der
Erziehung.

Wird ein Patrizier gebohren, so steht schon ein
Priester im Hinterhalt, das Kind in Beschlag zu
nehmen, und — wär es etwa ungestaltet, fehlte
ihm etwa ein Gliedchen — Geld für ein paar Mes,
sen zu erhaschen, um das Quakelchen in die Ewigkeit
hinüber zu behten. Unfähig, dem Säugling die Brüste
selbst zu reichen, sucht die gnädige Mama in dem
Stadtbezirk irgend eine feile Dirne zur Amme aus.
Das Püppchen wird immer fein warm gehalten.
Keine Feuchtigkeit wird zu seinen Füßchen gelassen. Der
Magen wird ihm bis ins dritte Jahr mit Brey verkleistert.
Von meinem Zimmer herab sah ich's, wie die Kinder
von jeder Buhlerinn zerküßt und ihre Schaam = Glieder befühlt und gekizelt wurden; wie man ihnen eine
Sprache vortändelte, die kein Mensch verstand. In
den drey ersten Jahren lernen sie französische Küße ge-
ben; rächend auf den Stuhl schlagen, alles erwin-
seln. Im ersten Jahre schon wird das Kind in die
Kirche genommen, um die ohne dieß schon erschlaffte
Aufmerksamkeit der Beter vollends wegzuwimmern.

Die Amme zeigt ihm alle Bilder und Statüen, als recht schöne Puppen, klinkert ihm vor, oder füttert's mit Bonbon. Nun kann das Kind fest stehen und ohne Gängelband laufen — Sogleich muß es die Göttlichste Handlung des Katholiken, das Meße-lesen — nachäffen. Die Mama betet so gar dazu und man hält die Handlung noch für heilig! Schon vor dem Lesens-Unterrichte, kann es den ganzen Ka-techismus mit Frag und Antwort in einem Athemzuge herplappern — einen Katechismus voll dunkler, un-bestimmter, verworrener Säze. Gerade hab ich ein Beyspiel vor mir: „Was ist das Zeichen eines Katholiken. A. Das heilige Kreuz! „Und, Bruder, dieses Büchlein ist der Grund ihrer Religion, den sie bis in's zwölfte Jahr immer käuen und wiederkäuen — denn erst dann bekommen sie die größere Christen-lehre — und dieser Katechismus soll der Felsen seyn, auf dem die ganze Masse ihrer religiösen Glück-seligkeit ruhen muß.

Kaum sind die Kinder den Windeln entschlüpft, so schlafen sie größtentheils schon mit ihren Ammen in einem Bette, und nicht selten mißbrauchen diese die Unmacht der Kleinen zum Kizel ihrer Wollust.. Ich werfe einen Vorhang über Szenen dieser Art. — Dieß sind die Kinder der Vornehmern. Die Kinder der Bürger, die noch von ihren Müttern gestillt wer-den, entrinnen größtentheils dieser Klippe, aber sie stoßen an eine andere an. Ohne Aufsicht versammeln sich diese Kinder, beyderley Geschlechts, auf Gaßen und in Winkeln, und spielen die schlüpfrigsten Spiele, z. B. eine Hochzeit — bis auf jene Punkte hinaus, über die sie von Ammen, unvorsichtigen Eltern und Hausgenoßen, irgend eine zweydeutige Kunde erhalten hatten. Im Gefolge dieser Spiele steht die fürchterliche Selbst-Besteckung, die so schröcklich auf ganze Generationen würkt; und — Knabenschänderey — zwey Laster, die man hier — bey der gerühmten Sitteneinfalt der Schweizer — in dem Grade nicht suchen sollte, wie ich sie gefunden habe. Im Vorbeygehen hier eine Anmerkung, die zwar nicht unmittelbar auf die Erziehung einfleßt. Du kennst den Stolz solcher Stäätchen auf ihr Bürgerrecht; weißt, mit welchem höhnischen Blick sie auf alles niederblicken, was mit dem Stempel geprägt ist: „ Fremder! Ausbürger! „ Und siehe Wunder! Zween fremde Marktschreyer, die so glücklich waren, mit Hülfe des Merkurius einige venerische Teufel auszutreiben, erhielten ein Jahrgehalt von 100 Louisdoren und der Senat, der sie für Grundpfeiler des Staats hielt, schenkte ihnen das Bürgerrecht, das noch kein Künstler, kein Gelehrter, nicht einmahl ein Mann erhalten konnte, der die gesunkene Industrie aus ihrem Schlummer wecken wollte. Nur eine Probe von diesen Aeskulapen. Die meisten Kinder sind mit Gichtern (Kinderwehen, wie man in der Schweiz sagt) behaftet und nicht wenige sterben daran. Das Kind eines Rathsherrn, der viele Kenntniße in der Naturlehre besaß, war ebenfalls gichtrisch. die Aerzte hatten bereits das Todesurtheil ausgesprochen. In der heftigsten Angst nimmt der Rathsherr sein Kind auf den Schoos, und elektrisirt's nach und nach gesund! Sogleich laßen sich die Aerzte von ihm in der Elektrizität unterrichten und schon beym ersten gichtrischen wollen

ſe die Probe machen. Siehe da ! die hohe Fakultät verordnet ein für allemahl : Man ſolle zu
gleicher Zeit den Kranken auf der einen Hälfte des
Körpers poſitif, auf der andern negatif elek-
triſiren.

Bis in's fünfte Jahr genießen Knaben und Mädchen die gleiche Erziehung, das heißt, ſo viel als gar
keine. Gute Nacht, Bruder !

Zweyter Brief.

Ich fahre fort, dir meine Bemerkungen über Erziehung mitzutheilen. Zuerſt Erziehung und Unterricht
der Mädchen. Vier Klaßen theilen ſie von einander
ab. Aber vor Allem muß ich dir wiederhohlen : das
Lehrbuch, das alle Mädchen ohne Ausnahme und die
Knaben bis in's zwölfte Jahr zum Grund legen im
Buchſtabiren und Leſen ꝛc. iſt Caniſius Kathechiſmus,
und ein Kinderlehrbüchlein von gleichem Gehalt, das
ihnen nie erklärt, nie faßlich gemacht wird und von
dem ſie ſo wenig verſtehen, als ihre Aeskulape von der
Elektrizität. So verſtändlen ſie vier Jahre, mit Buchſtabiren, Leſen, Deutſch und Lateiniſch ſchreiben.
Von Haushaltung und andern ſo nöthigen Dingen zur
Erziehung der Töchter hören ſie nichts — nicht einmahl lernen ſie rechnen, nicht einmahl einen Brief

ſchreiben — nicht einmal geſund Deutſch!! Nur
dieſe vier Stücke allein verſchlingen die vier Jahre des
allgemeinen Unterrichts. Jezt iſt die zweyte Epoche
da. Die Mädchen haben nun ihren Studienlauf vollendet und die Knaben rücken vor. Aber welches Chaos
von Lehrart. Statt die Erziehung allgemein nüzlich
zu machen, ſtatt den künftigen Bürger, den Staats-
mann zu bilden, bildet man nur den — Prieſter.
Und dieſen — Wie? Statt ihn in das Weſen
ſeiner eigenen Sprache zu führen, und ihre Verhältniße zu zeigen mit der Lateiniſchen (denn Griechiſch
verſteht hier kein Pfaff, kein Profeßor — Welche
Archivare, die ihre geoffenbarte Handſchriften nicht
einmahl in der Urſprache verſtehen!) ſtatt ihn zu
lehren, ohne Orthografiefehler ein Blatt Papier zu über-
ſchreiben, ſtatt ihm ſchon iezt ein populäres Chriſten-
thum zu erklären, muß er ſieben volle Jahre Lateiniſch lernen. Die erſten vier Jahre beherrſcht ein
Schulmeiſter, die drey leztern die Exjeſuiten!!!!
Wann der Schüler nun ſeine dreyzehn Jahre hat,
wann alles das, was zum künftigen Handwerker beſtimmt iſt, ſich trennen muß — erſt dann bekommt
der fortſtudirende eine Weltgeſchichte, ein Rechen-
buch, eine deutſche Sprachlehre und Wiedenhofers
Katechismus in die Hände. Aber, Bruder, allem
dieſem werden in der Woche kaum zween Tage gewiedmet. Von dem Werth der Schulbücher, dem
Unterricht nichts — Auf alles dieſes läßt ſich gar
leicht ſchließen. Nun ſind wir bey der dritten Epoche,
wo ſich alles, was in Zukunft das Staatsruder lenken ſoll, wegbegiebt nach Frankreich, nicht die
Rechte, die Menſchen zu ſtudiren, ſondern Lieuta-

nants - Patent und einen siechen Körper und ein inva-
lides Herz zu hohlen, dann nach Hause zu kommen,
und Mitglied der Staatsverwaltung zu werden. —

Der fünfzehnjährige Junge muß nun Dichtkunst
und Redekunst studieren: Das heißt seinen Gedanken
und Gefühlen ein Wortgewand umwerfen, eh' er
denken gelernt hat, eh' er weißt: was Wahrheit ist!
erst dann, wenn er wacker plaudern kann, muß er Logik studieren. Der ganze Unterricht ist lateinisch.
Kann nun der Jüngling brav mit Figuren und Phrasen um sich werfen, so kommt er in das Heiligthum
der Metaphysik und Mathematik. Und hier ist wieder der alte Pfaffische Schlendrian — — — —
Nun folgt Moral und speculatife Philosophie.
Ich muß dir zuerst den Professor dieser Wissenschafften
vorzeichnen. Er ist ein siebenzig jähriger Jesuite,
schlau, wie ein Fuchs, der siebenmahl der Fall'
entrann — angesteckt vom alten Quark der Philosophie aus den Zeiten, wo man noch die Frage auf-
werfen konnte; ob Logik eine Wissenschaft oder Kunst
sey? der ganz getreu der Despotenmeynung eines
Kardinals, die Erde für den Mittelpunkt des Weltalls
annimmt — der nicht einmahl gesund Deutsch spricht —
dieser Mann lehrt die göttliche Moral Christi — Und
wie lehrt er sie? Er zergliedert jeden Fall, um zu
sagen, wie manche Tod-oder läßliche Sünde darinn
enthalten sey!! Der größte Theil der Landpfarrer
weicht von dieser Kasuistik ab — Einen einzigen
im Luzernergebiete nehm' ich aus, der so genau
in die Fußstapfen des heiligen Aloys tritt, daß
er immer Handschuhe anlegt, so oft er pißen will.

Die Speculativ ist eben so fad, als die Moral. Eine Wissenschafft, bey der man schweigen muß, wenn man das Donnerwort hört: Ita censet P. Laymann cum 50 Aliis — ist eine sonderbare Wissenschafft — Doch, transeat cum cæteris — Unerhört aber ist wohl dieß, daß Leute, die dem Predigtamte gewiedmet werden, durchaus keinen Begriff von der Pastoraltheologie erhalten! nichts von Kirchengeschichte, geistlichem Rechte, vom Predigen überhaupt wissen.

Laß mich nun, Bruder, aus allem diesem die Folgen herausziehen. Die Mädchen Erziehung läßt dich auf nichts als Fühllosigkeit, Eitelkeit und Aberglauben hinausblicken — zwischen Unglauben und Aberglauben weiß man ohne dieß hier keinen Mittelpfad — der Handwerker lebt — eine Folge seiner Erziehung — dumm, wollüstig, träg dahin, ist glücklich, bey einer Flasche Wein und — einer Zeitung ! der Patrizier, dem Philosophie, Redekunst, Begriffe von Rechten fremd sind — theilt seine Zeit zwischen der Jagd, den Gardinen und einem leicht verdaulichen Romänchen. Seine edle Hände besudelt er nicht mit Handelschaft oder Kunst — und die Idee — ein Vater des Vaterlands muß alles um sich her im Respekt erhalten, macht ihn zum Despoten.

In meiner Gegenwart sagte Herr von * * *, notorisch der gröste Solothurner: der verächtliche Pränumerations = Bettler Gsellius, der Deutschland und die Schweiz seit einigen Jahren durchzieht, sey ein besserer Kopf, als alle Klopstocke und Geßner ! ! ! !

Der Geistliche in so einer Schule gebildet —
Laß mich für heute schweigen, Bruder! Die Galle
fängt mir an empor zu steigen.   Ich lege dir einige
Blätter aus meinem Tagbuche bey.

———

Den 26 Herbstmond. 1784.

Heut war ich in der Kirche zum Kirchweihfest.   Ein
Kapuziner, von dessen hinreißender Beredsamkeit mir
mein Wirth Mirakel vorgeplaudert hatte, predigte über
den Text: Magister aspice, quales lapides & struc-
turæ.   Er sezte in drey Theilen Solothurn zu einer
uralten, dankbaren, würdigen Erbinn ein.   Das
ist er bewieß 1. Schon im Jahr 325 habe sie eine Kapelle
gehabt.   2. Sie habe die Kirche immer erhalten und
neu aufgebaut.   Der dritte Theil bewies endlich! Die
Leute seyen fromm und man halte in der Kirche alle
Gottesdienste.   Du gutes Volk! Was Neues, Beßer-
machendes hast du gelernt? Ist's Nahrung für deinen Geist, dein Herz, daß dieser ehrwürdige Vater
dir bewies: es seyen soviel Stuffen zur Kirche hinauf
als Bundes - Väter bey einer Verschwörung sollen
gerufen haben: Heiliger Urs und Viktor helfft
uns !

———

Den 28.

Das Unterscheidungs = Zeichen zwischen einer Solothurner = Dame von Stand und einer Bürgers = Tochter ist dieß: die letztere schmückt sich Sonn = und Feyertags recht prächtig heran, indeß die erste wie ein Schw — n aussieht, und dafür die Woche hindurch sich putzt.

Den 30.

Ich besah heute die schönsten Häuser. Fast in jedem Gäßchen giebt's wenigstens drey Schenken. Das Schulhaus der Profeßoren ist an einer Gaße, wo alle Faßbinder, Kupferschmiede und Fuhrleute hämmern und lärmen. Unter dem Rathhause verkaufen die Weiber Hanf, Wolle. Die Bibliothek ist ebenfalls da. Aber sie hat keinen Fond. Vergebens sah ich nach den unsterblichen Werken Klopstocks, Gellerts — vergebens nach Montesquieu, Rousseau, Raynal, Voltaire — Desto mehr Mönchswust.

Das Urtheil des Publikums wird für die Fortsetzung dieser Briefe entscheiden.

Brutus

Ein Monolog.

(Nach dem Augenblick, da ihm Cäsars Schatte zum zwey-
tenmal erschienen war.)

Brutus

Ein Monolog.

— — Und wenn's auch nur Traum war, daß
mit täuschendem Bild der Schlaf mich äffte — wie
fand er Zugang zu Brutus Seele? Entweder hat
ein Gott mir ihn zugeschickt, und kann ein Gott meine
That mißbilligen, Ungerechtigkeit dem Recht, Unter-
drückung der Freyheit vorziehen? Oder kann das
schlafende Ich verdammen, was das wachende als
die schönste Handlung eines Römers in mir selbsten
bewundern muß. Auch Cäsar, wenn es wahr ist,
daß wir jenseits noch Empfindung haben, wenn er
aufgehört hat, herrschen zu wollen, weil er nimmer
kann, und wie sie sagen, dort ein ungestörter Friede
und eine neidlose Gleichheit ist, muß es als die ruhm-
würdigste beste That selbst anpreisen und — verzei-

1. B.   H

hen. Oder, kann, was die Weltweisen Gewißen nennen, der schlummernden Stolz und die eingehüllte
Selbstsucht hinterschlichen, und jene weichlichere
Tugenden eurer verderbten Sitten beßre Kinder, Zärt-
lichkeit und Reu aus dem Schlafe gerüttelt haben,
daß die empörte Fantasie, schit Jenen verkettet, indeß
die haushälterische Vernunft, nach dem Gesetze
eingeschränkter Menschheit ruhte, von schwärmenden
Nachtschatten aufgeschreckt, das blutende Bild Cäsars
vor die Seele mir brachte. Aber was red' ich? —
So mußt ich mit wachen Augen träumen? — Wenn
das Bewußtseyn heißt, lesen und im Augenblicke des
Lesens das hohläugigt Gespenst, mit dem versengen-
den Blick noch als Schatte Cäsar, sehen, ja sprechen, hören zu müssen! — Erschüttert es ja die
sträubende Seele eines Brutus! — So kann ich
eben so gut das Traum heißen, daß ein Cäsar war,
und daß ich Cäsarn mordete! Bin ich der Narr meiner Sinnen oder des hämischen Glücks? — Hah!
Brutus! Du hattest einen Groß-Vater Kato, der
dich in jeder Manntugend und die strengen Weisheit un-
terrichtete: War es auch ein Traum? — Die Weisen
lehren nicht so toll, die behaupten, daß Alles nur
Trugwerk unsrer Sinnen sey. Guter Kato! du prie-
sest mir Schatten für Wesen an. Deine Tugend ist
ein Schall — Sie muß am Triumpfwagen des
Glücks gebunden nachhinken. Zeno schwärmt: Die
Tugend allein sey Glück, und alle andere Empfindungen
von Vergnügen seyen nichts gegen die, so sie gewähret!
Ist sie das? Thut sie das? — O Weisheit!
Weisheit! Du bauest Systeme, und die Natur lacht
und zerbläst sie! — O Himmel! O Erde! Hie-

nieden ist keine Gerechtigkeit! Und sollte sie droben
seyn? — Warum muß dann dieser Lasterhafte steigen? Dieser feile Antonius, der erst Cäsarn kroch,
dann mit Honigworten den Pöbel vergiftete? Warum der Brutus bezwingen? Der elende in allen
Lüsten ersoffene, sklavische Bube! Warum Recht sich
beugen unter die Ferse der Gewalt? — Hah!
Glück ist Zufall und Zufall regiert die Welt, und
die Götter, ja Epikurus, schlummern. — Aber du
hast mich Eines gelehrt, Kato, was mich weniger
trügt! — Rom kann Ketten tragen; Brutus —
hat sie abschütteln gelernt! Ich bot meine ganze Kraft
dar zur Rettung meines Vaterlands! Nun hab ich
nichts mehr für dich, denn — eine Trähne! —
Mein Geist ein Theil von Junius Brutus will Freyheit! Auf Erden, find ich sie nicht! — Und wer
zwingt mich, den Schlägen des Schicksals mich länger
blos zu stellen? Nun die Götter wollen, daß ich meinen
Posten immer behaupten kann, soll ich, wie eine
Memme Gnade erwinseln von Antonius? Nicht rühmli-
cher auf dem Posten durch meinen Arm, der nun weiter
nichts nütze ist, sterben? — Nirgends, nirgends ist Freyheit als, Kato, bey dir! Und so würde der Schatte versöhnt
Cäsar! Kein größeres Opfer hat dir je ein Römer gebracht.
Drüben, wenn nicht eine lange Muße dem ganzen
räthselvollen Spiele auf ewig ein Ende macht, wird erst
der Sohn in dir des Vaters Tugenden verehren, und vergessen, daß er hier noch Bürger eines Freystaats war,
wo er den Mörder der Freyheit seines Vaterlands aus
Tugend morden mußte.

(Nach einer ziemlichen Pause, aus Schwerdt lesigend)

Schwerdt meiner Lenden! — Warest Rächer immer der Tyranney! Sey's dann zum leztenmal, Rächer des tyrannischen Glückes an mir! Zerhaue den Faden, der an diese Welt mich bindet, daß aufspringen vor deinem Blitze die Thore der Freyheit und ewig! ewig! ewig! zurückschlagen hinter mir die Pforten der Sklaverey! Aber hart hart ist der demantene Knoten, den du zerhauen sollst! Diese unwillkührliche Schauer, der menschlichen Natur lezter Tribut, verkünden mir's laut! — So stärke mich Cato's Geist! War ich nicht feige, mit dir für das sterbende Glück meines Vaterlandes zu kämpfen, sollt ich's seyn, da es das Meinige gilt? Kein drittes kann nicht seyn! Pause des Lebens für die unendliche Ewigkeit oder Pause des Unglücks und Elends für die Unendlichkeit, und so küß ich dich, Retter! Könnte mein Blut Leben in die sinkende Freyheit Roms gießen! O Götter schüzet mein Vaterland!! (Er durchsticht sich)

C. P. Conz.

Gedichte.

Zobeide

Ein Feenmärchen.

Gedichte.

Zobeide

Ein Feenmärchen.

I.

Nichts geschieht auf unserm Runde,
Das nicht längst hier oder dort
Schon geschah . . . dies weise Wort
Gieng in einer Launenstunde
Einst aus König Selims Munde,
Der an Welt und Menschenkunde
Und an Macht, die Geister band,
Keinen Seines-Gleichen fand.

2.

Zwar mit vorgereckten Ohren
Hör ich oft, was man erzählt
Aus der teutschen Dichterwelt
Von Genien und Novatoren:
Doch hat Selim nicht verloren;
Denn originelle Thoren
Kommt ihr einmal auf die Spur, —
Wahrlich, sie kopiren nur.

3.

Darum meine lieben Brüder!
Fügt Euch, — und Geduld ist noth —
In des Schicksals Machtgebot;
Käut Geschichte, Sprüch und Lieder,
Wie das Gras der Ochse wieder,
Oder legt die Federn nieder,
Denn von Deutschland ohnehin
Habt ihr dessen nicht Gewinn.

4.

Dankt dem Publikum die Gnade,
Wenn es Euch aus Mode ließt,
Und Euch vornehm dann vergißt,
Und zum Lohn vertauscht für fade
Schwäzer — Aber Dinarzade
Weckt die Schwester Scherazade:
Darum hört — der Tag ist nah —
Was zu Bagdad einst geschah.

5.

Harun Alraschid, Kalife
Der Moslemen gieng bey Nacht
Oft umher in fremder Tracht,
Selbst zu sehn und nicht durch schiefe
Gläßer von des Thrones Tiefe,
Ob vom Glück sein Szepter triefe?
Und ihm Schech und Pascha treu
Gleich in Wort und Thaten sey?

6.

Einmal, als er an der Seite
Zween gebückte Lieblinge,
Durch sein Bagdad wandelte,
War es, daß aus ferner Weite
Zimbelnschall sein Ohr erfreute.
Freunde, rief er ... Folgt mir! Heute
Erndten wir, ich ahnd es schon
Einmal wieder unsern Lohn.

7.

Und sie flügeln ihre Tritte
Bis zum Haus, woher der Klang
In das Ohr der Lauscher drang.
Harun pocht. Mit schnellem Schritte
Kommt die Sklavinn ... „Unsre Bitte,"
Ruft der Sultan ... „ in der Mitte
„ Dieses Sturmes stehen wir,
„ Fremd und hülflos Obdach hier. "

8.

Harret meiner, sprach Saide
Trug dann zur Gebieterinn
Schnell die neue Botschaft hin
Oeffne nur! Rief Zobeide.
Und sie kamen, schienen müde,
Doch erstaunter noch, als: Friede
Mit Euch unter meinem Dach
Liebevoll die Dame sprach!

9.

Tausendfacher Schimmer strahlte
Von den Wänden überall
Durch den hohen Zaubersaal.
Mittagsonne, schien's, bemahlte
Alles rings, so üppig prahlte
Gold: Ein Meer von Düfften wallte
Aus Agath und Gold hervor
Von dem Marmortisch empor.

10.

Sklavinnen in Wechselchören
Stimmten in der Zimbeln Klang
Paradiesischen Gesang.
Denn Entzückten dünkt's, sie wären
In des höchsten Himmels Sphären,
In der Huris Schoos zu hören,
Was nur Muhammed vernahm,
Als er Gottes Buch bekam.

11.

Doch durch... ganze Wunderzimmer
Wie von unsichtbarer Hand
Plötzlich weggewischt, so schwand
Harmonie und Lampenschimmer
Gegen Zobeidens Schimmer.
Wie des Gothen Tempels — Trümmer
Dir in deiner Pracht, Athen,
Glichen ihr die Sklavinnen.

12.

Rückgelehnt saß Zobeide,
Deren Reiz kein Pinsel faßt
Auf dem Sofa von Damast,
In Zytherens Attitüde.
Wonnemondes Anmuth blühte
Auf den Wangen, hohe Güte
Stralt im Auge, da sie's hob,
Und den Schleyer aufwärts schob.

13.

Starr und sprachlos stehn sie Alle,
Da sie sich vom Sofa hebt,
Majestätisch näher schwebt,
Und vom Instrumentenschalle
Ruht die hohe Marmorhalle.
Und sie sprach, " Kein Fremdling walle;
„ Fleht er Schutz und Mahl von mir
„ Unerhört vorüber hier. "

14.

» Mögt Euch, wie ihr thut, vergnügen,
» Erst genießen ungescheut,
» Was Euch meine Tafel deut.
» Denn im Arm des Schlafs Euch wiegen,
» Wenn nicht eure Minen trügen
» Und die Würd' in Euren Zügen,
» So hat jezt des Schicksals Hand
» Edle Männer mir gesandt. «

15.

» Eine Bitte nur gewähret:
» Fremdlinge betraten nie
» Diese Schwelle, ohne sie.
» Wenig ist's, was man begehret,
» Doch für mich ist's wichtig. Höret —
» Zwar auch diese Tafel lehret,
» Was noch jeder Gast versprach,
» Und auch straflos keiner brach. «

16.

» Und Sie führt sie hin, zu sehen,
» Was in goldner Schrift der Wand
» Oben angeheftet stand:
» Wunderdinge, die geschehen,
» Wird vielleicht dein Auge sehen,
» Aber hüte dich, zu spähen!
» Sey verschwiegen, frage nie
» Nach Warum? und Wer? und Wie?

17

Araschid begann: „Gebiete
„ Kleines oder Grosses nur;
„ Dame, Männerwort ist Schwur.
„ Wir gehorchen . . . Das verhüte
„ Allah, daß ich Meineyd brüte
„ Solchem Reiz und solcher Güte.
„ Nur ein Wink von dir, und dein
„ Sollte selbst dieß Leben seyn.“

18.

„ Fremdling! Süsse Schmeicheleyen,
„ Sprach die Dame, „ heitern nicht
„ Zobeidens Angesicht.
„ Scherz, bey dem sich Weise freuen,
„ Biedersinn und Wahrheit seyen
„ Würze dieses Mahls — So streuen
„ Kluge Lindrung auf den Schmerz —
„ Aber still, du krankes Herz! “

19.

Sprach's, und Lied und Saiten tönten,
Mächtiger Entzückung glühn
In der Gäste trunknen Sinn.
Herrlich, wie der Tag, so kröhnten
Mädchen bey der Tafel — kröuten
Goldne Becher: Den Verwöhnten
Schien selbst ihres Harems Pracht
Gegen Zobeiden Nacht.

20.

„ In den kühnsten Phantasien;
„ Flüstert Harun zum Wesir,
„ Maltest du den Himmel dir?
„ Neue Paradiese blühen!
„ Ich erwache — Bräute fliehen!
„ Traum ist's, wo wir Sinne glühen,
„ Der in kurzen Taumel reißt:
„ Hier ist Leben! Hier ist Geist!..

21.

Und drey Wonnestunden sogen
In den Schoos der Nacht zurück;
Und in Herz der Dame Blick
Harun, wie der Pfeil vom Bogen,
Ihm im Busen stürmt's, wie Wogen,
Wie durch Allmacht hingezogen
Stürzt der Fürst der Gläubigen,
Zu Zobeidens Füssen hin.

22.

„ Nein noch nicht! „ Seufzt Zobeide
Lächelnd, wie am Horizont
Durch's Gewölk der volle Mond.
„ Seht erst Alles „ Und Giafar
Rief: Den Guten Heil und Freude,
Frevlern Elend! Ich gebiete
Fräulein dir, thu deine Pflicht,
Und beginne das Gericht.

23.

Horch, da löst der Melodieen
Und der Saiten rascher Lauf
Sich in trübe Wehmuth auf.
Gleich dem mählig Verblühen
Einer Rose, schmelzen, ziehen
Und verstummen sie — — und ziehen
Langsam mit gesenktem Blick
Sich die Sklavinnen zurück.

24.

Schnell senkt mit den Memorischen,
Wie die Bahr in's offne Grab,
Teller und Pokal hinab.
Alle Lampen rings verlöschen;
Und empor die Wände zischen
Schwarze Leichentücher. Zwischen
Gram und banger Ahndung harrt
Der Kalif und reibt den Bart.

25.

Nur noch matten Schein verbreiten
Mitten in dem Trauersaal
Einer Lampe schwacher Strahl.
Unter ihr, mit Flor bekleidet,
Steht ein Sitz, die Dame schreitet
Langsam hin . . . Saide spreitet
Vor den Fuß der Herrscherinn
Einen schwarzen Teppich hin.

26.

Zobeide senkt sich nieder
Und beginnt zur Sklavin: " Nun
" Laß uns, was wir müssen thun. "
Bleich — ihr beben alle Glieder —
Steigt Salbe Treppen nieder,
Treppen auf und kommt dann wieder,
Und zwo schwarze Hündinnen
Reicht sie der Gebieterinn.

27.

Reicht ihr zitternd eine Ruthe
Und an schwarzem seidnem Band
Eine Hündinn in die Hand.
" Komm! Ich muß! Du Böse — Gute! "
Und sie haut mit kaltem Blute,
Bis die Hündinn trieft vom Blute,
Jede Wand, rings im Gemach,
Hallt des Thieres Seufzer nach.

28.

" Sklavinn, nimm sie! Jene reiche! "
Winselnd, wie um Mitleid, kriecht
Her die Hündinn . . Ob sie nicht
Ihre Henkerin erweiche?
Ach umsonst! von jedem Streiche
Rinnt ihr Blut herab die weiche
Seidenhaare — Das Gemach
Hallt des Thieres Winseln nach.

29.

29.

Wie erschöpft von Widerstreben
Sinkt die strenge Richterinn
Nun auf ihren Sofa hin.
Große Thränentropfen beben
Durch die Wimpern . . . Seufzer heben
Ihren Busen, aufwärts schweben
Ihre Blick — und wilder Schmerz
Wütet sichtbar ihr durch's Herz.

30.

» O Salde ! Gieb sie wieder, «
» Ruft sie, — jene schwehre Pflicht
» Hindert doch die Liebe nicht.
» Große Fee — Wann schonst du wieder?
» Und sie bückt sich liebend nieder,
» Küßt und netzt die wunden Glieder,
» Mit dem Balsam Thränenguß:
» O verzeiht ! Ich muß ! Ich muß ! «

31.

Unbegreiflich ! diesen Küßen
Dieses Jammers Herzlichkeit
So gepaart die Grausamkeit !
Selber den Geschlagnen fließen
Thränen, scheint es, und sie müssen
Zeugen diesen Herzergüßen,
Da Salde tief gerührt
Sie zurück zum Kerker führt.

1. B.   J

32.

Und die Sklavinn gieng und brachte
Schnell im goldnen Futteral
Eine Laute — Diesem Schall,
Als die Dame stimmt, erwachte
Der Kalife, Leben fachte

In ihm wieder — Odem brachte
Dieser neuen Szene Blick
In die starre Brust zurück.

33.

Und mit leisen Klagetönen
Rauscht in traurigen Gesang
Ihrer Laute Silberklang.
Ihn begleiten neue Thränen
Niederstürzend von den schönen
Wangen zwischen Kummermienen,
Traurig sanft, wie Mondenlicht,
War des Fräuleins Angesicht.

34.

Banger, letzter Trennung Leiden,
Liebe, die im Tode schied,
Klagt das seelenvolle Lied:
„ Sturm heult — Elemente streiten!
„ Meines Lebens Seeligkeiten
„ Schlingt die Woge! Nun im weiten
„ Weltall Alles oed und leer!
„ Mein Abdallah ist nicht mehr! "

36.

» O warum von deſſen Höhen
» Stiegſt mit deinem Zauberſtab
» Du zu ſpät zur Hülf herab,
» Beßte, Grauſamſte der Feen ?
» Ihr wieder wiederſehen « —
Und ſie ſtockt — die Pulſe ſtehen —
Plötzlich ſinkt die Sängerinn
Athemlos in Ohnmacht hin ?

36.

Hülfe! Lufft! Da ſtirbt ſie — brüllet
Harun, reißt mit raſcher Hand
Ihr vom Buſen das Gewand.
Himmel! Himmel! Was enthüllet
Dem Erblaßten ſich — Wie füllet
Sein Geſchrey den Saal — Wie quillet
Zu dem Herzen all ſein Blut
Und erſchüttert ſeinen Muth.

37.

Blitz aus blauem Himmel hätte
So den Armen nicht erſchröckt —
Ganz mit Narben überdeckt
Rauh und ſchwarz, ſtatt Marmorglätte
Lielienweiß und Roſenröte
War der Liebe Ruheſtätte,
Statt des Buſens, rund und ſtraff,
Zizen, welk und breit und ſchlaff.

38.

O warum, du Arme, dachte
Eh dein Busen schutzlos war
Nicht dein Dämon der Gefahr?
Wenn nun dein der Frevler lachte?
Wenn er kund die Schande machte? —
Höhret weiter! Sie erwachte
Sah den Busen blos und nahm
Um die Kleidung sonder Schaam.

39.

„ Wohl! Du hast auch dieß gesehen! "
Sagt sie lächelnd: Wirst du nun
„ Wieder Liebes-Schwüre thun?
Aber starr, wie Säulen stehen
Alle, zweifelnd: Ob geschehen
Wirklich sey, was sie gesehen?
Schnell faßt Alraschid, den Mann,
Wie ein Weib, die Neugier an.

40.

Nein! Es wird die Brust mir sprengen
Spricht er zum Wessir, wenn nicht
Ich wahrhaftigen Bericht
Weis von diesen Wunderdingen,
Laß mit Flehn uns in sie dringen,
Oder will sie nicht, sie zwingen.
Reden muß die Gauklerinn,
Wenn ich noch Kalife bin.

41.

Giafar predigt tauben Ohren,
Daß den Mann sein Männerwort
Bind in jedem Fall und Ort.
Daß er hier als Gast geschwohren,
Nicht als Sultan aller Mohren,
Welcher freylich sey gebohren,
Kühn zu thun, was sonst die Welt
Sich für klein und schimpflich hält.

42.

Wahr! versetzt er — und — ich frage,
Faßet halben Muth und spricht:
Schöne Dame, zürnet nicht,
Daß ich eine Bitte wage.
Jener armen Thiere Plage,
Jene Ohnmacht, jene Klage,
Dieser wunde Busen hier,
Räthsel Alles — Löst sie mir.

43.

Hohen Ernsts blickt Zobeïde
Ihm in's Aug und spricht: du hast
Schnell des Eids vergeßen, Gast!
Noch ist meine Antwort Güte:
Schweigen muß ich — und nun hüte
Dich, zu fragen — Würd ich's müde,
Warlich, reuen mögte dann
Dich der Frage, fremder Mann.

44.

Traue nicht bey Männerwaffen
Rufet Harun, legt die Hand
An den Säbel — Hastig stand
Auf die Dame: „ Was ich straffen,
„ Nun dann! " — und mit blanken Waffen
Stürzen, hui, zwölf schwarze Sklaven
In den Saal: Gedankenschnell
Wird's; wie Mittag, wieder hell.

45.

Nur des Winkes harrend schwingen
Um der Fremden zitternd Haupt,
Denen Furcht die Kräfte raubt,
Sie die hellpolirte Klingen —
Und Mesrur und Giafar springen
Bleich und taumelnd auf, umschlingen
Der erzürnten Dame Knie:
Schonen, schonen mögte sie.

46.

Aber sieh! vom goldnen Wagen,
Rings umstrahlt von Glorie
Steigt herunter eine Fee —
„ Zobeide! deine Klagen
„ Sind am Ende: Magst nun sagen,
„ Was in jenen trüben Tagen
„ Du für Schmerz geduldet hast
Und nun kennst du deinen Gast. "

Schnell stürzt zu des Sultans Füssen
Zobeide flehend hin:
„ Herrscher aller Gläubigen!
„ Dich in meinem Hause zu grüssen,
„ Deines Kleides Saum zu küssen
„ Hofft ich längst: und sieh — Hier fliessen
„ Reue Thränen deiner Magd,
„ Daß sie Frevel hat gewagt. “

„ Darum laß mich Gnade finden,
„ Herr vor deinem Angesicht!
„ Kurz und wahr sey mein Bericht —
„ Jene Thiere, deren Lenden
„ Bluteten von meinen Händen,
„ Nannt ich Schwestern, — Doch nun enden
„ Ihre Qualen auch; ich bin
„ Quitt des Amts der Henkerinn! „

Sie und mich, doch mich vor jenen
Hat Ein Vater einst gezeugt,
Eine Mutter einst gesäugt —
Beyden folgten wir mit Thränen
Früh zum Grab — dann zählt' ich ihnen
Treu ihr Erbtheil an Zechinen,
Jeder tausend, blanck und baar,
Mit der Eltern Seegen dar.

50.

Also schieden wir. Sie spannten
Alle Seegel sonder Ruh
Grösserm Gut und Reichthum zu.
Endlich, schlau getäuscht, entbrannten
Sie vom Wunsch, im unbekannten
Land, das sie Dorado nannten,
Wo das Gold auf Straßen glüht,
Reich zu werden ungemüht.

51.

Aber nackt und hungernd kamen
Sie vom Goldland bald zurück,
Während reichlicher das Glück
Lies gedeyhen meinen Saamen,
Und ich pflegte sie im Namen
Des Profeten, und sie nahmen
Theil an allem, was die Hand
Gottes mir herab gesandt.

52?

Doch nach kurzen Monden wachte
Alter Abentheuer Lust
Wieder auf in ihrer Brust.
Ihre Ueberredung fachte
Troz dem Beyspiel, eh ich's dachte,
Meine Neugier an — Ich brachte
Alle meine Haab an Bord,
Und ein Westwind trug uns fort.

53.

In der Hinreis' ersten Tagen
Kam allein in einem Kahn
Eine Frau ans Schiff heran,
Sprach: Sie hab' in's Meer verschlagen
Hunger lang und Durst getragen —
Mich bewegten ihre Klagen. —
Sag': Ob's meine Pflicht nicht war?
Ich entriß sie der Gefahr.

54.

Bald, geführt von raschen Winden
Sahn wir mit dem Morgenstern
Eine lange Küste fern,
Und beschloßen anzulanden,
Als ich schnell aus meinen Händen
Sah die fremde Frau verschwinden —
Rosenroth und Rosendufft
Goß von ihr sich in die Luft.

55.

Endlich jauchzten wir am Lande,
Als vom Himmel sanck die Nacht:
Eine Stadt in hoher Pracht
Dehnte sich nicht fern vom Strande.
Aber keine Karte nannte
Diese Stadt — Kein Schiffer kannte
Diese Küste: Seltsam schien
Alles — Doch wir zogen hin.

56.

Huh! Was sahn wir da! Statüen
Menschenformen, voll Natur,
Aber keines Lebens Spuhr.
Mund und Wange sah man blühen,
Sah' im Auge Leben glühen,
Jene stillstehn, diese ziehen:
Blut und Muskel, Arm und Bein
Schien Bewegung und — war Stein.

57.

In den stolzen Marmorhallen
Herrschte Schweigen wie um's Grab,
Straßen auf und Straßen ab —
Da wir auf und niederwallen,
Faßt uns Schrecken, wie mit Krallen,
Nur die eignen Stimmen hallen,
Grauser jeden Augenblick
Durch die öde Nacht zurück.

58.

Und ich sah beym Mondes Schimmer
Hohe Zinnen und davor
Goldumglänzt ein offnes Thor.
Lang durchwallt' ich goldne Zimmer,
Aber unbewont, wie Trümmer,
Bis ich einer Lampe Flimmer
Sah, und einen Ton vernahm,
Der aus Menschenlippen kam.

59.

Groß ist Allah! Hört ich's schallen:
Ein Kapellchen war's, von da
Schein und Stimme drang: Ich sah
Einen Jüngling, schön vor allen
Knien gegen Mekka, fallen
Sah ich Thränen, Seufzer wallen
Aus dem Busen, als er sich
Staunend wandte gegen mich.

60.

Und ich störte seine Lieder:
Sage! Sprach ich, Junger Mann,
Was hat Allah hier gethan?
Und er fiel aufs Antliz nieder:
Groß ist Allah! rief er wieder.
Sieh! Das waren meine Brüder,
Ach die Bürger dieser Stadt,
Welche Gott gerichtet hat —

61.

Und der Mann, der Sohn noch nannte,
War ihr König! Feuer war
Ihre Gottheit: Am Altar
Knieten Alle, wo es brannte:
Keiner war, der Gott erkannte,
Bis der Allgerechte sandte
Einen Boten, ihren Sinn
Zu der Wahrheit hinzuziehn.

62.

Und der fromme Bote-lehrte,
Allah nur sey wahrer Gott,
Drohte Strafen, drohte Tod
Jedem, der sich nicht bekehrte.
Aber ich nur war's, der höhrte!
Gestern — Ach! und die Bethörte! —
Wie ein Blitzstrahl brach's herein —
Waren leblos, waren Stein.

63.

Ich allein — und Thränen schlangen
Jedes Wort — Gerechter Schmerz,
Sprach ich, Freund, bestürmt dein Herz.
Aber laß an diesen bangen
Szenen nun nicht länger hangen
Deine Blicke: Laß die Wangen
Trocknen: That's nicht Gottes Händ?
Flieh aus diesem öden Land!

64.

Er gehorcht — und bald vereinen
Mittleid hier — dort Dankbarkeit
Unsre Herzen — Seeligkeit —
Warum läugnen? sog aus seinen
Blicken ich, und er aus meinen —
Auch von Gold und Edelsteinen
Trugen wir aus diesem Ort
Ungemeßne Schätze fort.

65.

Ach! wie anders, als ich dachte,
Wo ist Weibereinigkeit,
Welche nicht der Neid entzweyt?
Satan sah's und Satan lachte!
Meiner Schwestern Neid erwachte,
Und der böse Dämon fachte
Höher stets das Feuer an,
Bis es auszusprühn begann.

66.

Weh! Ich schlief! Gewinsel schröckte
Mich in wildem Traum — Ich sah
Unter Mördern Abdallah!
Weh! Ich schlief! Gewinsel weckte
Mich vom Schlaf — Abdallah deckte
Todes Nacht — Abdallah streckte
Blutig noch, den Arm nur hin,
Und mir schwand Gefühl und Sinn!

67.

Ich erwacht an Mörderstössen —
Vor mir — in dem Wuthblick Tod,
Meine Schwestern — Großer Gott!
Plötzlich glänzt es, als zerflössen
Tausend Sterne und ergössen
Ihre Funcken — dich erlösen
Will ich — Also klangs hervor
Aus dem Glanze mir in's Ohr.

68.

Dieß gab Leben meinen Sinnen
Hehr, wie jetzt und schön stand da
Diese Fee vor mir: Sie sah
Blut aus meinen Wunden rinnen —
Sehet! rief Sie, Mörderinnen!
Graun ergriff die Freolerinnen,
Und den Morddolch in der Hand
Standen beyde hingebannt.

69.

Aber du, o Zobeide!
Sprach die Göttinn, zage nicht!
Jetzt ist's Nacht, und einst wird's Licht,
Unglück auch ist Gottes Güte.
Sieh, da bin ich und verhüte
Deinen Tod — Die Fee Armide,
Die dein Schiff jüngst — kennst du mich?
Aufnahm, rettet heute dich!

70.

Sprach's und mit der Zauberruthe,
Welche Stein beflecken kann,
Rührte sie die Wunden an,
Und gebot zu stehn dem Blute.
Aber wie war mir zu Muthe!
Tod und kalt Abdallah — Gute
Fee, nur außen heiltest du
Diese Brust, nicht innen zu!

71.

Aber von Armidens Sklaven
Fort gebracht auf ihr Gebot
Sah noch vor dem Morgenroth
Mich mein Haus, mein Schiff der Hafen.
„ Komm nun, sprach sie, zu bestrafen
„ Die verruchte: deine Waffen
„ Diese Ruthen! Räche mich,
Räch Abdallah! Räche dich!

72.

Und zu meinen Füssen liegen,
Die dich allso jammerten,
Plötzlich jene Hündinnen.
Laß kein Mitleid dich besiegen,
Rief sie, deine Schwestern schmiegen
Hier an deinen Fuß sich — gnüget
Soll mir diß: doch jede Nacht
Werde mein Befehl vollbracht.

73.

Jede Nacht nimm diese Ruthe,
Jede Nacht, dann zähle du
Hundert Hiebe jeder zu,
Bis sie schwimmt in ihrem Blute:
Ob wohl mit dem bösen Blute
Auch ihr Neid vom Herzen fluth.
Dieses Amtes, wenn du mich
Wieder siehst, entlaß ich dich.

74.

Und du selbst magst diese Narben
Noch behalten, bis zur Zeit,
Die dir wieder Freude beut.
Denn nicht alle Freuden starben
Mit Abdallah: Rosenfarben
Bringt der Lenz; Entreißen Garben
Doch nach Monden erst der Saat,
Die der Tod befruchtet hat.

75.

Dieser Frühling wird erscheinen
Und bis dahin magst du wohl
Opfern deiner Liebe Zoll
Deinem Todten, gehn und weinen.
Nur erfülle treulich meinen
Willen — Einmahl end' ich deinen
Schmerz — dann siehst du mich, wenn hier
Dein Kalife steht vor dir.

76.

Deine volle Tafel habe
Gäste täglich: Seyn laß sie
Zeugen deiner Pflicht — doch nie
Nimm von Jemand andre Gabe,
Als — daß er zu schweigen habe.
Spricht's und schafft mit ihrem Stabe
Diesen Wänden diese Pracht,
Diesen Tag und diese Nacht.

77.

77.

Dieß gebot, dieß that Armide.
Ich gehorchte jeden Tag,
Wenn mir gleich oft jeder Schlag
Drang ins Mark von jedem Gliede.
Wohl mir! Endlich wird mir Friede!
Nie des Klagens ward ich müde,
Aber auch der Hoffnung nie,
Und nun krönt Armide sie.

78.

„ Ja! Sie krönt sie, Zobeide!
Deines Jammers ist ein Ziel,
Und dir blüht der Wonne viel.
In dem reuigen Gemüthe
Deiner Schwestern flammt nun Güte.
Führe sie herauf — Saide!
Wie der Wind eilt — Hurtiger
Eilt Said' und bringt sie her.

79.

Werdet Menschen! Spricht die Feye,
Und der mächtge Zauberstab
Streift die Thiergestalten ab. —
„ Dieses Abends Wohlthat weyhe
„ Euch zur Lieb und Schwestertreue „
Wie der Tag, umfließt sie neue
Schönheit, thränend stürzen sie
Nieder vor der Göttinn Knie.

80.

» Nun wohlan dann! Ich verzeyhe,
» Wahrlich! mehrt ich so gerecht
» Stets der Hündinnen Geschlecht,
» O der unabsehbarn Reyhe
» Schwarzer Weibchen! — Ich verzeyhe
» Daß sie größern Glücks sich freue;
» Dieß der Schwester zu verzeyhn,
» Mußtet ihr nicht Weiber seyn! «

81.

Und von diesem Zauberstabe
Nimm, o sanfte Dulderinn,
Deinen Lohn auch du nun hin.
Daß ich lang gezaudert habe,
Daß Abdallah ruht im Grabe,
War Geschick, dies — meine Gabe.
Nun, was staunst du? Sahst du nie
Einen Busen? Harun seh!

82.

Spricht es lächelnd, schlägt mit schlauen
Mienen das Gewand zurück,
Läßt mit einem Taumelblick
In den Himmel Harun schauen.
Bächen gleich auf Rosenauen
Schlängeln sich die himmelblauen
Adern auf den Sphären hin,
Die wie Abendhimmel glühn.

83.

Glühen, wie des Fräuleins Wange,
Von verschämter holder Glut,
Daß an ihrer Spiegelfluth
Männer Auge dürstend hange,
Und von neuen Wünschen bange,
Doch in unnenbarem Drange
Hüpfend auf und nieder stehn,
Hüpfend ihm entgegen glühn!

84.

Während sie den Reiz verhüllte,
Und sein Bild, das dennoch bließ
Harun sich vom Auge rieb,
Und wie ers noch niemals fühlte,
Seine Brust ein Streben füllte,
Und durch alle Adern wühlte,
Legt' Armide seine Hand
In Zobeidens und verschwand.

85.

Und das Fräulein, sanft erbebend,
Zieht sie mit gesenktem Blick
Und nur halber Kraft zurück.
Nein! rief Harun! So belebend,
So durch alle Nerven webend,
So die volle Brust mir hebend,
Fühlt' ich noch die Liebe nie:
Zobeide, kröne sie.

86.

Kröne sie! Der Götinn Wille
Gab mir diese Hand, und ich
Ewig, ewig halt ich dich,
Daß der Seeligkeiten Fülle
Mir aus deinem Busen quille;
Meines Glückes Ruf erfülle
Alle Länder, fern und nah.
Sprich Verzeyhung und betu Ja!

87.

Und das Fräulein: Wie gebühret,
Deinem Wunsch zu huldigen,
Herrscher aller Glaubigen!
Der Kalife triumphiret,
Und am grauen Morgen führet
Er die holde Braut gezieret
Mit Geschmeiden in's Serrál,
Und nie reut ihn seiner Wahl.

Reinhardt.

Uebersetzungen.

Uebersezungen.

Nachfolgende Uebersezungen sind aus einer Sammlung lateinischer Dichter des fünfzehnten und sechszehnten Jahrhunderts, die den Titel hat: Delitiæ CC. Italorum poetarum hujus superiorisque ævi illustrium. Collectore Ranutio Ghero MDCVIII. Ich besize nur den ersten Theil davon, der die Dichter und Dichterlinge dieser Sammlung bis in's L enthält. Man kann freylich lange im Spreu wühlen, bis man ein Körnchen findet. Indeßen seh' ich nicht ein, warum wir das Körnchen liegen laßen sollten, da wir die Spreu so oft sorgfältig sammlen, wenn sie tausend Jahre älter ist. Uebrigens betracht' ich diese Delitiæ CC poetarum zu meiner nicht geringen Erbauung wie eine Todtengrufft und erinnere mich der eigenen Sterblichkeit.

Amor und der Tod.

Andreas Alciati.

Traulich schweifte der Tod umher mit Amor: Es führte
Pfeile der Liebes-Gott, Köcher und Pfeile der
Tod.
Beyde lehrten sie ein und schliefen zusammen, in Einer
Nacht, Kupido war blind, damals war blind
auch der Tod.
Beyde versahn sich und nahmen der Eine die Pfeile
des Andern:
Nun hat die goldne der Tod, Amor die Pfeile
von [illegible].
Daher [illegible] der [illegible], der schön seyn sollte, des [illegible]
Eigenthum, liebt noch und [illegible] [illegible] von
[illegible] aus Haus.
Aber ich, weil Amor mich traf mit verwechseltem
[illegible] den [illegible] Bogen?
[illegible] Schnitter nun hin, nach [illegible] [illegible] die Hand
[illegible] zum Tod [illegible] des Geschicks.
Schöne Knabe, schöne der Tod mit den [illegible]
[illegible] Waffen,
[illegible] mich lieben und laß wandeln den Greisen
zum [illegible].

Zölia und der Liebes-Gott.

Hieronymus Angerianus.

Zölia gieng in die Wälder zur Jagd: Auf der Schulter den Köcher,
    Saß sie herrlich und hehr auf dem geflügelten Roß.
Ihr begegnet der Knabe mit Schwingen und schüttelt den Bogen —
    Wähle dich, ruft er, zum Kampf! Nun du bewehrt bist, wie ich.
Zölia lachte des Schwachen und sprach: die Bewaffnete? Kleiner!
    Forderst du? Siegt ich nicht schon waffenlos über dich? Geht!

An Zölia.

Ebenderselbe.

Was beginn ich, wenn wütende Schaaren in Kämpfen sich mengen?
    Und der Edlern Verlust traurt Ausoniens Flur?

Was beginn ich, wenn tobender Sturm deß Hügel
herabstürzt?
Wenn das bebaute Gefild Sirius Hitze versengt?
Was beginn ich, wenn sterben die Menschen, wenn
fallen die Heerden,
Und im vertrokneten Schlund schwarzer Hunger
sie nagt?
Was beginn ich, wenn Könige herrschen und Ehre
noch erndten?
Wann der erhöhte Fürst sich um den Purpur
verkauft?
Was beginn ich, wenn Himmel und Erde zusammen-
stürzen,
Wenn die wallende Flut hohe Pallaste verschlingt?
Das mein Geschäfft, mit Rosen bekränzen und Mirthen
die Schläfe,
Und mit strömendem Wein hinter mich jagen den
Gram.
Das mein Geschäfft, mit assyrischem Balsam beträufeln
den Bart mir
Und die Locken und nie lassen den frölichen Scherz.
Das mein Geschäfft, die Tage nach weißen Steinchen
nur zählen
Und den ermüdeten Leib wärmen im ruhigen
Bett.
Das mein Geschäfft, mit Gesängen die Musen feyren
und aus den
Saiten der Leyer hervor locken harmonischen Ton.
Das mein Geschäfft, ohn Ende dein Lob, du Herr-
liche, singen,
Und ohne Ende für dich, meine Zölia, glühn.

Zölla und der Spiegel.

Zölla, da mit dem Kamm die schöne Locken sie auf-
    reyht,
Steht vor dem Spiegel und den fragt sie um
    ihre Gestalt.
Ihr giebt Antwort der Spiegel: "Was frommt dir
    Schimmer und Anstand,
Wenn selbst also verschämt Zypria's Torus du
    siehst?
Kommen werden die Jahre, da diese Jugend dahin
    welkt,
Da du glühende Lust nicht mehr zu fühlen ver-
    magst.
Lebe du heute! Morgen ist's trüb und heben sich
    Wolken,
Und ein brausender Sturm jagt dir durch Wellen
    dein Schiff.
Du vergeudest dein blühendes Alter: wo scherzend
    Kupido
Seine Gaben nicht reicht, hat man nicht glücklich
    gelebt.
Nütze die Zeit; denn zu was ward dieser Reiz dir?
    Ein Mädchen,
Das zu keusch ist, was ist's, als ein Mädchen im Grab?

Alles wandelt sich, trotzen auch du mußt diese Ver-
wandlung,

Seufzen: O daß ich so spröd einst in der Liebe
doch war!

Grausam gegen dich selbst, was verschmähst du den
Preis für die Schönheit?

Was ist Schönheit, wenn nicht Blüt auch und
Früchte sie trägt?

Eile du jetzt, weil die Erde noch grünt und die Lilien
blühen;

Pflückst du jetzt sie nicht, siehe, so dorren sie ab.

Eile du jetzt, du Anna! Wohl wälzen sich Jahre und
kehren

Wieder, aber du sinkst unter, und kehrst nicht
zurück —

Und wer wüßte nicht das? Dieß Leben ist Schatten
und Staub nur,

Dieses Leben ist nichts. — Blicke gen himmel! Er glüht,

Glüht von Liebe ... du weißt nicht ... was Lieb ist,
Lieb ist der Dinge

Schönstes: Nenn' es und ... und was ... ist, geneuß!

Wer gab die Natur die Gaben, die du verachtest?

Frevlerin, Tausenden bringt diese Verachtung der ...

Spröde bleibst du, und glaubst und weißt es nicht!

Alles! Liebe! sey froh! Grausame! weilest du
noch?

Diese Warnung — ich gebe sie dir, o Zölia, denke
Du der Warnung, so oft nach dem Spiegel du blickst.

Rache nach dem Tod.

Ebenderselbe.

Werd ich nach meinem Tod in Asche zerfallen, die Asche
Wird zerstieben und wird fliegen in's Angesicht dir.
Schwingt sich zum Himmel empor die Seele, so wird sie vom hohen
Himmel dir Flammen herab senden und Werkzeug des Tods.
Hab ich des Lebens Pflichten nicht treu verwaltet, so will ich
Umgehn in deinem Haus, umgehn, ein Knochengespenst.
Werd ich wieder verwandelt zum fühlbaren Körper, auch du hast
Einen Körper: Auf ihm will ich dann lasten wie Bley.
Duld ich Pein in der Luft, herschweb ich dann lustig und quäle
Dich; verschlingt mich ein Strom wirbelnd, ich ziehe dich nach.
Steig ich zu Wolken empor, ich sende dir Hagel aus Wolken;
Stürme mit Glut auf dich los, werd ich im Feuer gewälzt.

Was ich im Tode dann bin, mit dir nur kämpf ich,
    mit dir nur
Blutigen Kampf und du wirst schutzlos dann
    heulen der Pein.
Werd ich zu Nichts, so soll selber dieß Nichts dich
    foltern und glaub' es,
Glaube mir, ewig dich, ewig verfolg' ich nur
    dich!
Sterben will ich; dem Styx zu entrinnen: beleidigte
    Liebe
Kann ich nicht züchtigen dich, so lang ich Leben noch
    athme,
Wohl, so bin ich im Tod Rächer der Grausam-
    keit dir;

***

Grabschrift.

Milder ward Amor und schloß das Auge des Lieben-
    den — Er, ach
Hatt ihn durchbohrt — sein Gebein lasen die
    Grazien auf.
Venus setzte die Asch in das Grab und Erato selber
    Grub in die Urne den Vers; Lese die Aufschrift,
    wer liebt:
Hier vom Körper kein Rest, nicht schwarze Gebeine;
    Nur Eine
Lodernde Glut und sie sengt! Wanderer, walle
    nun fort.

Das Alter.

Tarquin Frangipani.

Schon deckt silberner Schnee das Haar,
Und mein rauhes Gesicht faltet in Runzeln sich;
   Schon im trägeren Munde stockt
Mir die Rede, bedarf eines Krystalls das Aug,
   Und schon langsamer schlürft mein Ohr
Ein der Redenden Laut, Jeglichen Tag verweht
   Mir ein jeglicher Sinn: es krümmt
Von dem Zentner Gewicht lastender Jahre sich
   Meine Schulter: die schwächliche
Füße stützen die Hände kaum mit dem Stabe noch,
   Des vertrockneten Körpers Kraft —
Schwindet mälig dahin mir und der Feuer-Geist
   Zehrt sich ab und in kurzem werd
Ich verlöschen so wie wenn sie vom grünlichen
   Oele leer ist, der kränkelnden
Lamp' ihr zitterndes Licht schnell in die Luft verfliegt —
   Wohl so sterben die Flammen des
Lebens mälig dann ab meinen erkaltenden
   Gliedern: Doch mit geheiligtem
Himmels-Feuer durchglüht also mich um und um
   Der Unsterblichkeit Vater, Gott,
Daß ich nimmer nun Mensch, lodernde Glut nur bin,
   Feuer, brausende Flamme, wie

Aetna's Flamme : ·Ja dich sieh' ich, dich mächtiger
    Schöpfer aller der Wesen, mag
Mit dem Schimmer des Lichts decken der Tag, die
    Nacht
    Mit der Finsterniß Schleyer die
Erde, was mir nun noch übrig vom Leben ist,
    Laß mich lodern in deiner Glut',
Daß ich glänzend und rein werde, wie Gold, das in
    Leichter Flamme mit sinniger
Hand zum edlen Gefäß hämmert der Künstler, und
    Von der schwärzlichen Schlak entblößt,
Daß, wenn nach mir der Tod ausstreckt den gierigen
    Arm, wie mitten aus Flammen der
Fönix aufsteigt, ich dann breite die Flügel aus,
    Und mit flüchtigem Ruder mich
In den Aether empor schwinge mein Vaterland.

Loretto.

Frizolinus.

O Hütte, selbst dem König der Himmlischen
Vor allen werth, auf Nazarets Fluren einst
    Erbaut, dich trugen unversehrt die
    Schultern geflügelter Diener hin nach

Illyriens Gefilden, dann wieder dich
Hoch über Land und Meer, bis an den Adria's
  Lermlosen Ufer in Loretto's
    Schattigten Wald sie dich niederseßten.
Wie von gelbtem Gold, von Heiligen
Gewänbern und von Perlen du schimmerst! Wie
  Zum Himmel auf die Marmorlast trotzt,
    Die dich, du Liebarige, schirt und einschließt
Dir wallen zu die Züge der Mächtigen
Ausonier, der Nachbar der Rhone dir,
  Dir, wer den Tagus trinkt und Schaume
    Frommer Armenier und Iberer.
Von hier aus näher höret die Betende
Die Mutter Gottes, reißt aus Gefahren sie,
  Und schafft den Kranken Linderung, mich auch
    Riß sie zurück von der schwarzen Schwelle
Des Tods und gab dem Flehen des Vaters mich!
Hier, wenn du eintrittst, löse die Bande die
  Am Fuß — hieher die Hände, hieher
    Wende den sündigen Blick — die Fürstinn
Des weiten Himmels faßt in den engen Schoos
Dis Haus — Hier dehnte stralende Flügel aus
  Der himmlische Verkünder, hier hat
    Leben gebracht der verworfnen Erde
Der Sohn des Höchsten Gottes, o Wunder, der
Im Leib der reinen Jungfrau Empfangene,
  Da stürzte von dem hohen Pole
    Fülle des Reichthums herab und deckte
Das niedre Dach: Da wehte' es zum Heiligthum
Des Hehren Geistes Athem — Den Boden hat
  Gedrückt des Gottessohnes Sole,
    Hier hat sein Finger berühret die Mauern.

Wo saß die Hohe Mutter wohl häufiger?
In welcher Ecke klagt sie thränenvoll
  Den Hintritt des verbrechenlosen
  Sohnes, auf welchem der Steine stand er,
Nun auferstanden wieder vom Grabe? Wo
Schloß in dem Todesschlummer ihr Aug die
  Bejahrte Jungfrau? Wo lag einst
  Schönumwerths der Leichnam der Unbefleckten?
Wo trugen ihn nach heiligen Weihungen
Weg die Gefährten Christus? Dieß Plätzchen hier
  Ist Heiliger? Ist jenen? Ist gleich
Heilig diß Alles gleich werth der Andacht?
Wo, Welchen Steinen drück ich die Küsse auf?
Hah! Welch' Gefühl jagt meinen verjüngten Sinn?
  Hah welche Gottheit reißt mein Herz mit
  Himmelbegeisterung? Ihr und ungeweihte
Gedanken flieht! Nichts, nichts will ich lieben mehr,
Nichts Sterbliches — Vergeßen der Welt um mich,
  Und meiner selbst in Einem Fußfall
  Ehren dich Sohn und dich, Mutter Jungfrau!

Karl Fridr. Reinhardt. *

---

* Der vortreffliche Uebersetzer der Elegien des Tibullus 2c. 2c. mit einem Anhang von eigenen Elegien. Zürich bey Orell, Geßner und Comp. 1783. Die angehängten eigenen Elegien sind — gerad heraus gesagt — die beste Elegien der Deutschen neben den Stollbergischen. Und doch hat's den Inquisitoren der deutschen Kritik beliebt, bey der Anzeige der Uebersetzung ganz davon zu schweigen. Wie viele Almanachs - Dichter wiegt der einzige Reinhardt auf? Und Vaterland Schwaben! Er ist dein Sohn! Kenn Ihn! D. H.

Schwäbische Anekdoten.

Schwäbische Anekdoten.

I.

Ritterliche Uebung
aus
dem achtzehnten Jahrhundert

Im Jahr 1783, sage: Tausend sieben hundert drey
und achtzig trug sich folgendes Faktum zu, für dessen
Wahrheit Schreiber dieses Bürge ist. Der Gutsherr
des schwäbischen Ritterguts A * * in der Nähe von
Schwäbischhall und sein treuer Spießgeselle in
manchem Strauß, ein benachbarter Edelmann wollten
sich und einige Freunde, worunter auch Fräulein
waren, divertiren. Sie stellten zu dem Ende ein
Schießen an mit Bolzen und ein armer einfältiger
Schlag von Kerl, der gewöhnlich den Handwerk

machte, mußte seinen entblößten Hindern zur Zielscheibe hergeben. Für jeden Treffen bekam er nach schwäbischem Gelde einen Sechsbäzner und bey jedem Treffer ward hochaufgelacht, und die Herren — ob die Fräuleins auch weiß ich nicht? — fanden das Schauspiel gar angenehm! Die Nutzanwendung mache sich jeder selbst. Nur noch eins — Eben dieser obbemeldte Herr von H * (wir wollen für jetzt noch seinen Namen nicht ganz an den Pranger stellen) der sich öfter an Hanswursten und Hanswurstiaden belustigte, hatt' einmal einen solchen besoldeten Narren, mit dem er den gnädigen Spaß so weit trieb, daß, da er ihm einmal im Coffee ein Brechpulver gab, der Kerl wenige Stunden darauf Konvulsionen bekam und — starb!!! Und kein Hahn krähte darnach....

K. R.

II.

Christliche Spitzbüberey
gegen
jüdische Unschuld.

Auf einem der zerstreuten einzeln Höfe, die zum würtembergischen Kloster Murrhardt gehören, wo der Aberglaube noch sehr stark herrscht — (wie diese Bemerkung immer bey abgelegenen zumal wal-

digten Gegenden kann gemacht werden) lebt auch ein
einsamer, nach Maasgabe der Revier ziemlich wohl=
habender Bauer. Ein Betrüger schlich sich zu ihm,
und sezte ihm was von Schazgraben und einem Schaz,
den er auf seinen Wiesen sich hätte sonnen sehen, ins
Ohr, das dem Bauer baß gefiel. Dazu ward nächst
anderm Hokus = Pokus erfordert: Eine Neu=Karolin
und ein ansehnliches Stück neuen Tuches. Die
Karolin ward herbey geschaft. Mit dem Tuch giengs
nicht so leicht. Die Bäurin, die von der Sache nichts
wissen durfte, hatte ihr Tuch, deßen sie einen ziemli=
chen Vorrath hatte, und worüber sie wohl allein schal=
tete, zu gut verwahrt. Doch wußte der Mann Mittel=
sie zu hintergehen und ihr das Benöthigte zu entwen=
den. Sie aber, die es von Zeit zu Zeit nachzumessen
pflegte, entdeckte den Diebstal gleich Abends darauf,
sagt's ihrem Mann und machte viel Lermens darob.
Der Bauer stellte sich, als wär ihm das alles eine
neue Mähre — Tuch und Karolin hatt indeßen der
Teufel geholt!!! Weil der Bauer beym Aktus das
Maul nicht halten konnte — von ungefähr mußt
es sich fügen, daß als der Lärm über das entwendete
Tuch zwischen Bauer und Bäurin fortwährte (vielleicht
mogte sie auch Verdacht haben auf ihren Mann selbst)
zwey Juden in die Nachbarschaft und auch auf den
Hof Schacherns halber kamen. Was war natürlicher
in der Gedankenreyhe des Bauren, als die Schuld des
Diebstahls von sich ab und auf diese unglücklichen
Israeliten zu wälzen. Es waren ja nur Juden!!!
Er bezüchtigte sie der That ins Angesicht, mishandelte
sie, wie sie sich nicht überzeugen konnten, aufs grau=
samste, und rief von benachbarten Höfen — ihre

Distanz ist gewöhnlich sehr gering — andre Bauern herber, die ihre Rohheit ebenfalls an den armen Geschöpfen thätlich ausübten. Einer von diesen zwey fand Gelegenheit, sich von diesen Kerls loszumachen, erklärte, entweder den Thäter aufzufinden oder sich zu seinem Kameraden wieder selber einzuliefern. Er lief nach allen den Höfen, die in der Revier lagen, und wie diese Leute immer die besten Spühr-Nasen haben, spürte bald die ganze Sache wegen der Schatzgraberey, ja den Schatzgraber selber auf, dem er auch das Geheimniß mit dem Diebstahl schlau abzulocken wußte. Bald zeigt er's der Obrigkeit an, forderte für sich und seinen Kameraden Genugthuung, und wird sie erhalten? —

Urkunden

wegen

der Schweizerkolonie in Konstanz.

Begünstigungen,

welche

Se. Majestät der Kaiser

und

der Stadtrath zu Konstanz

der allda

sich niederlassenden Fabrikantenkolonie aus der Schweitz

bewilliget haben.

Kund und zu wissen seye in Kraft dessen jedermänniglich! Nachdem eine Kolonie aus der Schweitz sich entschlossen, in der kaiserl. königl. vor. österreichischen Stadt Konstanz sich niederzulassen, und alldahin ihre Indienne- und Kotton- wie auch Uhrenfabricken zu übersetzen; so haben Se. kaiserl. königl. apostolische Majestät auf ihr allerunterthänigstes Bitten, inhaltlich Hofdekrets vom 2ten April des laufenden Jahres nicht nur die allerhöchste Bewilligung [hiezu allergnä-

digst ertheilet, sondern auch diesen Fabrikanten mit
ihrer Kolonie nachfolgende Begünstigungen zu verstat-
ten geruhet; und zugleich gnädigst befohlen, daß sowohl
hierüber, als auch über die von dem Stadt konstanzi-
schen Magistrat denselben insbesondere eingestandene
Begünstigungen eine ordentliche Urkunde verfasset, so-
fort der zu diesem Ende von allerhöchstgedacht Seiner
k. k. Majestät besonders bevollmächtigten vord. öster.
Landesregierung und Kammer allhier zur Bestättigung
eingesandt werden sollen.

Zu dessen allerunterthänigster Befolgung ist demnach
gegenwärtiges Instrument errichtet, und folgendes
festgestellt worden:

1.) Wird gesorget werden, der Kolonie soviel als
thunlich, das Unterkommen in der kais. kön. Stadt
Konstanz zu verschaffen, jedoch hätten sie sich mit den
Eigenthümern der Häuser deswegen zu verstehen. Auch
wird ihnen auf allen Fall frey gelassen, sich in einem
eigenen Bezirke der Stadt, wo dazu Gelegenheit vorhanden ist, anzubauen.

2.) Wird denselben das freye Exercitium Religionis
für beständig bewilliget, auch die Erbauung oder Er-
richtung eines Bethauses und Anstellung eines eigenen
Pastors, wenn gleich die Zahl der Ansiedler anfänglich
nur auf 30 Familien sich belaufen sollte, gestattet;
auch daß sie der katholischen geistlichen Jurisdiktion
keineswegs unterworfen seyn sollen, zugesichert.

3.) Wird ihnen zwar ein Judicium arbitrarium in Handlungs = und Manufaktursachen versprochen und bewilliget; jedoch kann in Personalibus & Realibus von der allgemeinen Regel nicht abgewichen werden.

4.) Betreffend die Rekrutirung, werden sie von dieser gleich andern Emigranten in dieser Eigenschaft aufgenommen seyn.

5.) Wird ihnen die Personalsteuer auf 20 Jahre nachgelassen.

6.) Wird den Uebersiedlern das erstemal die mautfreye Einfuhr aller Habseligkeiten, Geräthschaften, Werkzeuge, auch wirklich fertiger Waaren so, wie fortan die zollfreye Hin = und Wiederführung der letztern in den Vorlanden zugesichert.

7.) Kann zwar die gebetene Maut = und Zollfreyheit für die Einfuhr ihrer Fabrikaten in die innerösterreichische und übrige k. k. Erbländer aus Rücksicht auf die bestehenden Maßregeln und außer dem Handel gesetzten Waaren nicht eingestanden werden. Wenn jedoch diese Fabrikanten und Kolonie solche rücksichtswürdige Fabrikationsartikel in den österreichischen Vorlanden herstellen würden, welche in den teutschen Erbländern noch nicht oder fast nicht verfertiget werden, so wird alsdann dergleichen Fabrikaten, gegen Unterlehrung der verläßlichen Vorsichten in eine verhältnißmäßige Gleichheit mit jenen der Niederlanden und übrigen abgesönderten Erbländern zu setzen kein Boden ben obwalten; jedoch ist von Fall zu Fall die besondere Anzeige zu machen, und darüber die Bewilligung zu erwarten.

Nicht minder wird auch von dem Magistrate der vorderöster. Stadt Konstanz diesen Fabrikanten und Kolonie noch insbesondere

8.) Bewilliget, daß diejenige unter ihnen, die das Bürgerrecht zu erwerben nicht im Stande wären, ihre Kunst und Arbeit, in so ferne sie sich auf die Uhrenmacher = und Kleinodienkunst beziehet, als Beysäßen in ihren Wohnungen ohne Anstand betreiben dürfen, ohne jedoch einen öffentlichen Laden zu führen.

9.) Wird die Probe des Goldes und Silbers, das künftig in dieser Stadt wird verarbeitet werden, unveränderlich dergestalt festgestellet, daß das Gold zu 18 Karrats, und das Silber zu 11o Deniers gesetzt bleibe.

10.) Wird kein Bedenken getragen, diesen Fabrikanten und der gesammten Kolonie, wie auch den Personen, die in der Folge dieser Niederlassung ihre Wohnung und Aufenthalt in Konstanz aufschlagen werden, zu verwilligen, daß dieselbe auf 20 Jahre lang von allen jenen Artikeln und Realitäten, welche sie etwa während dieser Zeit an sich bringen werden, von dem gewöhnlichen Abzuge, es sey des Todes oder Wegzuges halber gänzlich frey bleiben sollen: wo hingegen nach Verlauf dieser 20 Jahren, wenn sie einige Realitäten im Beße haben, und solche wegen des Todes oder Abzuges aus dieser Stadt verkauffen, und außer Land ziehen sollten, mehrgedachte Kolonisten sodann den ge-

Stadt gebührenden Abzug mit 5. vom Hundert zu bezahlen hätten. Wobey sich von selbst verstehet, daß der Preis der bey solcher Gelegenheit verkauft werdenden Realitäten durch die Kaufbriefe oder Fertigung bestimmt werden müssen.

Zu dessen Urkunde ist gegenwärtiges Instrument und die darinn enthaltene allerhöchste und magistratische Begünstigungen von diesseitigen kais. könig. vor. öster. Regierung und Kammer auf Eingangs erwähnten allerhöchsten Befehl gefertiget, und dem Franz Roman, Amt Melly, und Jakob Ludwig Macaire, Direktoren dieser Fabriken eingehändiget worden. Freyburg im Breysgau den 30ten Juni 1785.

Posch.   (LS)   **Kaiser,** Secretär.

Regierungsrescript über die Bürgeraufnahme der Genfer in Konstanz.

Ueber den Bericht und die Bitte des Stadtraths zu Konstanz vom 9ten & præsent. den 13ten dieses wird dem Herrn Stadthauptmann unter Einem aufgetragen, dem Magistrat eine Abschrift von jenen Begünstigungen mitzutheilen, welche von Sr. kaiserl. königl. Majestät den alldort sich ansiedeln wollenden Indienne- und Uhrenfabrikanten aus Genf allergnädigst zustanden worden sind.

Hiernächst wird der Stadtrath die ganz besondere Vortheile nicht verkennen, welche dem dortigen gemeinen Wesen durch die Einnahme besagter Fabrikanten und arbeitsamen Kolonie in allem Betracht verschaffet werden.

Aus eben dieser Rücksicht auf das allgemeine Beste hat mithin derselbe den sich meldenden Familien das Bürgerrecht ohne fernern Anstand, und zwar auf folgende Art zu verleihen, daß

1.) Von keiner sich hierum meldenden Familie, sie bestehe aus Vater und Mutter und mehreren oder gar keinen Kindern, an Bürgeraufnahmgeld mehr nicht, als höchstens 140 fl. zusammen abgefodert werde.

2.) Diese moderirte Bürgeraufnahmstaxe nur auf jene Familien sich erstrecken solle, welche a Dato binnen 2 Jahren um die Aufnahme als Bürger sich melden werden. Nach Verfluß dieser zwey Jahren aber stehet es dem Stadtrathe frey, die sich alsdann meldende entweder unentgeltlich, oder nach der sonst üblichen Taxe aufzunehmen.

3.) Bleiben von der auf 140 fl. moderirten Taxe diejenige ausgeschlossen, welche von der väterlichen Gewalt frey, volljährig, unverehligt, und kinderlose Witwen sind, wenn sie schon binnen den bestimmten 2 Jahren um die Aufnahme zu Bürgern sich melden.

4.(Haben die binnen den izt besagten 2. Jahren um die Bürgeraufnahme sich meldende Familien nach ihrem

ihrem eigenen Anerbieten sich glaubwürdig aufzuweisen, daß jede derselben wenigst 600 fl. im Vermögen besitze. Endlich

5. Verstehet sich von selbst, daß diese Familien durch Taufscheine zu beweisen haben werden, wer der Vater, die Mutter, und welche derselben eheliche oder angeheyrathete Kinder, dann wie viele deren, und welche männlichen oder weiblichen Geschlechts seyen.

Posch.   Ex Consil. Regim. & Cam.
                                    A. Aun

                    Freyburg am 18 Juli 1785.

                              Klein.

Instrument über die Schankung der
Dominikanerinsel an den Indienne-
fabrikant Macaire de Cór.

Kund und zu wissen seye hiemit! Nachdem Jakob Ludwig Macaire de Cór mit allerhöchster Benehmgung Seiner kaiſr. königl. Majeſtät ſich entſchloſſen, ſeine Indienne- und Kottonfabricke in die k. kavor. öſt. Stadt Konſtanz zu überſetzen; ſo haben allerhöchſt gedachte S. Majeſtät inhaltlich Hofdekrets vom 21ten April des laufenden Jahres allergnädigſt geruhet, ihm Jakob Ludwig Macaire de Lor, dann ſeinen künftigen Erben und Ceſſionarien die ſogenannte Dominikanerinſel zu Conſtanz, einerſeits an dem Rhein und obern See, andererſeits an dem Stadtgraben gelegen, ſammt dem darauf befindlichen Kloſter, Kirche, Gärten, und dazu gehörigen Gebäuden (iedoch) mit den etwa darauf haftenden Grundbeſchwerden) in Kraft einer Donation dergeſtalten zu überlaſſen, daß das Eigenthum dieſer Inſel und der dazu gehörigen Gebäuden ihm Macaire de Lor, auch ſeinen künftigen Erben und Ceſſionarien gegen einen an den vor. öſter. Religionsfond jährlich zu bezahlenden Kanon oder Recognition von fünf und zwanzig Gulden (den Gulden zu 60 Kreuzer gerechnet) ſo lange verbleiben ſolle, als er oder ſeine Erben und Ceſſionarien die Fabricke in gutem Stande erhalten und fortſetzen werden.

Und gleichwie nun ermeldter Jakob Ludwig Macaire de Lor, ſolche ſchankungsweiſe Ueberlaſſung bereits mit allerunterthänigſtem Danke angenommen, auch obige Bedingniſſe genaueſt zu erfüllen verſprochen, und die ihm überreichten Schlüſſel zu Handen genommen hat; ſo iſt hierüber gegenwärtiges Donationsinſtrument errichtet, und von dieſſeitiger kaiſerl. königl. v. öſter. Regierung und Kammer auf Eingangs erwähnten allerhöchſten Befehl gedoppelt ausgefertiget, auch von dieser Fertigung das eine Exemplar ihm Macaire de Lor behändiget, das andere hingegen (von mehrbemeldtem Macaire de Lor eigenhändig unterschrieben) den diesseitigen Regierungs- und Kammeracten beywahrt worden.

So geschehen Freyburg im Breysgau den 30ten Juni 1785.

Posch,   (LS)   Kais. Secretär,

Herr Stadthauptmann von Damiani, ein Mann von äußerster Thätigkeit und eisernem Muthe überwand glücklich alle Hindernisse, die sich diesem für Konstanz so wichtigen Unternehmen der Genfer Kolonie entgegen stellten. Möchte der wackere Mann auch mit gleichem Glücke den Geist der Stupidität und der Trägheit aus der ehrsamen Bürgerschaft von Konstanz exorciren. — Aber so lange die beschornen Köpfe und unbeschornen Bäuche auf der Kanzel und im Beichtstuhl noch immer Intoleranz und Religionshaß predigen (und dieses Lob erhält die konstanzische Geistlichkeit —) — so wird's wohl noch lange wäh-

renz, bis man nur soll es einsieht: daß es für Beutel und
Magen einträglicher sey, ein protestantisches Schwab zu
treiben — als her —, Rosenkranz zu bethen. Daß der
Hutgeist schon stark unter dem Volk gegen die Genfer
Sucht, beweisen verschiedene Insolenzen des Pöbels gegen
alles, was mit dieser Kolonie in Verbindung steht. — Wir
werden mehr davon sprechen. d. H.

Ueber die

Verfassung der teutschen

Schulen

im Herzogthum Wirtemberg.

Ueber die
Verfassung der teutschen
Schulen
im Herzogthum Wirtemberg.

––––––––

Wirtemberg gehört in Rücksicht auf seine Lage, seine
Verfassung und seine Produkte unter die glücklichsten
Länder Teutschlands. Seine Unterthanen sind wenigstens in gröſsern Theilen des Landes von allzudrüken-
den Abgaben frey; die meisten seiner Städtchen und
Dörfer genießen eines Wohlstandes, der groß genug
ist, um auch den ärmsten Einwohner vor Niederträchtigkeit und Hunger zu schützen, und mittelmäßig genug, um dem Luxus nicht zu viele Quellen zu eröff-
nen. Selbst die Regierung hat angefangen, die Rechte
der Einwohner zu ehren und zu schützen; viele Quel-

M 4

len ehemaliger Verſchwendung am Hof und ehemaligem Elend der Einwohner ſind verſtopft: das einheimiſche Genueſerlotto iſt aufgehoben, und für Fremde iſt das Sammeln verboten: Man drückt das falſche Siegel landesväterlicher Geſinnungen nicht mehr an die Stirne zu grund richtender Steueredikten: Man ſorgt für Erhaltung, Vermehrung und Ausbreitung unſrer zuverläßigſten und mächtigſten Hülfsquellen des Landbaues und der Viehzucht, und unſer Herzog ſcheint in Hohenheim für beydes aus Liebhaberey und Grundſätzen das zu thun, was Schinas Kaiſer nur aus Ceremonie thut. Mit einem Wort, wenn wir gleich auch in dieſer Rückſicht noch lange nicht im Jahr 2440 leben, ſo ſind wir doch unſtreitig, ſichrer, reicher, freyer, glücklicher, als ſo manche unſrer Nachbarn, und man hat ſchon ſehr viel gewonnen, wenn man ſich überzeugt hat, daß es noch um ſo viel ſchlimmer, als eben beſſer ſeyn könnte, und daß es — einſt ſchlimmer geweſen ſey. Aber das iſt nun noch nicht das Einzige. Die Regierung, welche dem gröbern thieriſchen Theil der Maſchiene ihrer Unterthanen, und wär er auch weichlicher und niedlicher Nahrung ſchaft, und für ſeine Bedürfniſſe ſorgt, hat noch lange nicht die Hälfte von ihren Pflichten erfüllt. Ihre Bürger ſind auch vernünftige Weſen, und als ſolche bedürfen ſie vernünftige Erziehung und vernünftigen Unterricht. So lange der Fürſt nur das ſich angelegen ſeyn läßt, daß Gram und Hunger ſeine Unterthanen nicht ausmergle, und daß er ſich folglich die gehörige Anzahl nervigter Arme für ihn zu arbeiten erhalte, ſo lange beobachtet er nur, was der Planzer in Weſtindien für ſeine Sklaven, und jeder Hausvater für ſeine Roße und Stiere beobachtet.

Er befördert nur seinen eigenen sichtbarsten, unmittelbarsten Vortheil, und die Kopflosigkeit mancher andrer Väter des Vaterlandes oder ihrer Repräsentanten, die sich nicht einmal darauf verstehn, giebt ihm eben noch kein Verdienst. Nur dann behandelt er sie als Geschöpfe, die mit ihm schlechterdings in gleichem Range stehn, d. h. als Menschen, wenn er auch auf denjenigen Theil ihres Wesens Rüksicht nimmt, welchem der andere von Rechtswegen wenigstens unendlich tief untergeordnet, und welchem eine längere Dauer, als diese verlorne Momente auf dieser untersten Stufe unsers Daseyns, bestimmt ist.

Die Art seiner physischen Nahrung wählt sich der Bürger selbst. Es ist der Regierung gleich viel, ob er weißes oder braunes Bier, weißen oder rothen Wein trinke? ob er sich mit Haberbrey oder mit Klösen, mit Rindfleisch oder mit Spek sättige, wenn's nur kein giftiges Getränk mit Silberglätte, kein Düppelhaber oder keine Schierlingswurzeln sind. Selbst Mißbräuche kommen hier seltener auf ihre Rechnung, so sehr sie auch in den meisten andern Fällen darauf gehören mögen: Aber ganz anderst verhält sich's mit der Nahrung, welche sie dem Geist ihrer Unterthanen vorsetzt.

Unterricht und Erziehungsart hängt nicht von dieser Willen ab. Da sind öffentliche Anstalten, an die sie gebunden sind, da ist eine Religionsverfassung, auf die man sie schwören läßt, ehe sie noch zu lallen wissen: da sind Vorschriften, Lehren und Geheimnisse, die ihre Seele verdauen soll, fast eh' ihr Magen noch die Milch aus der Brust ihrer Müttern verdaut hat. — Und wenn nun vollends einige dieser geistigen Nahrungsmittel dem Wein mit Silberglätte oder dem Düppelhaber gleichen, wie dann.? — — —

Erziehung und Unterricht also hat der Fürst zu einem Theil seiner unmittelbaren Sorge gemacht, und er ist nach meiner geringen Meinung bey weitem nicht der unwichtigste. Denn, um die Parallele noch etwas weiter zu treiben: Trank und Speise wird verdaut; der gröbere Theil sondert sich, und der feinere bleibt zurück. Zwar verwandelt er sich in Säfte, in Muskeln und in Knochen, aber nach zwanzig Jahren sind diese Säfte, diese Muskeln, diese Knochen verdünstet, und folglich wird kein körperliches Nahrungsmittel ein bleibendes Theil unsrer Existenz: Aber Erziehung und Unterricht, wenn sie sich einmal in unsere Natur verwandelt haben, verlieren sich für gewöhnlich nicht mehr, und die Periode ihrer völligen Verdünstung ist wohl niemals diese Periode unsers Daseyns. Und dann bleibt, traurig genug! in Organen, die sich erst zu entwickeln beginnen, gemeiniglich während der feinere Theil verfliegt, nur der unbrauchbare, gröbere Theil hangen, und verstopft die Kanäle selbst für künftige beßere Nahrung!

Aus dem allem erhellet, daß für junge, noch unentwickelte Seelenkräfte, die Art der Erziehung und des Unterrichts nur gar nicht gleichviel sey, und daß alles auf die Verantwortung dessen falle, der für sie zu wählen hat. Nun geschieht es freylich aus beßer Meinung, das weiß ich wohl, daß man uns, wie

einem Kinde die Arzeneyen, unsere Meinungen, und
was man Religion zu nennen pflegt, einzwingt: Aber
bey all dem dünkt mich, wär' es eine Frage, die
jeder Mensch, so bald er seinen eigenen Verstand zu
gebrauchen, und sein Menschenrecht sich zu vindi-
ziren weis, aufzuwerfen Fug und Macht hätte: mit
welchem Recht man ihm Begriffe aufgedrungen, die
er nicht habe verstehen, d. h. mit einer Nahrung ihn
überfüllt habe, die er nicht habe verdauen können;
und warum man ihn dadurch so zweklos der Fähigkeit beraubte selbst zu wählen, was er glauben und
wie er denken wolle, während man in der unendlich
wichtigern Kunst, recht zu empfinden und recht zu
handeln, für ihn so wenig oder beynahe nichts gethan
habe? Es wär' eine sehr natürliche Frage, sag' ich,
wenn nicht bey unsrer unnatürlichen Verfassung gerade
das natürlichste eine Schimäre wäre. —

Mag man also immerhin die Jugend in der so
genannten Religion, in den Systemen der Theologen unterrichten: Mag man uns immer für den
Himmel zu bilden suchen, ehe wir noch eigentlich auf
der Erde sind: Aber man sollte doch, wenigstens für
diesen Zwek, auch die rechte Mittel wählen: Man
sollte, wenn wir ja für unser angebornes Verderben
Arzneymittel haben müssen, wenigstens wißen, ob
man sie zur rechten Zeit und unter den rechten Umständen gebe? Ob man nicht Uebel ärger mache, indem man's austreiben will? Und wenn nun vollends
das problematisch wäre, ob die Krankheit selber nicht
erst von der Arzney, von ihren falschen Ingredienzien,
von ihrem falschen Gebrauch komme? Ob man nicht

statt Gottesverehrung und Tugend, das heißt, Menschenglükseligkeit zu befördern, gerade sie verhindre? — Ob — mit einem Wort — die liebe Erbsünde nicht das Resultat unsrer häuslichen und öffentlichen Erziehung sey?

Diese Fragen werden sich, befürchte ich, nicht zum Vortheil meines Vaterlandes, von selbst beantworten, wenn ich ein getreues Gemälde von der Art darlege, wie unser Volk in Land und Stadtschulen erzogen wird. — Ich rede, wie sich's von selbst versteht, nur von der öffentlichen Erziehung, nach welcher sich im Ganzen die häusliche bildet, und in diesem Aufsatz will ich mich nur auf die teutschen Schulen einschränken. Für's nächste Stük dieses Museums werd' ich einige Data zur nähern Kenntnis auch der lateinischen liefern, und vielleicht find' ich nächstens Gelegenheit von den höhern Erziehungs Anstalten Wirtembergs, von seinen Klöstern, von seinen Universitäten, und besonders vom theologischen Stift zu Tübingen ein Wörtchen zu seiner Zeit zu reden.

Ich schreibe für Schwaben und für Wirtemberg, und ich denke, daß ich mein Publikum kenne: Mein Publikum, sag' ich, das heut, die Menge, nicht die zerstreute unsichtbare Kirche aufgeklärter, uneigennütziger, für Menschenwohl arbeitender Menschen, deren Häuslein überall so klein ist — folglich werfe man mir nicht ein, daß ich längst erwiesene gesagte gefühlte geübte Wahrheiten hier wiederkäue, wann die Erfahrung spricht, daß sie für den größten Theil Wirtembergs weder gefühlt, geübt, selbst nicht einmal gesagt und bewiesen seyen. Ueberhaupt ist uns nichts lächerliches als das dumme Rezensentengeschwätz, die über ein Buch den Stab gebrochen zu haben wähnen, wenn sie versichern, daß es nichts neues sagt, Als wenn Wahrheiten aufhörten Wahrheiten zu seyn, weil sie schon gesagt sind! Wollen wir gestatten, daß sie wieder außer Kurs kommen? Wollen wir sie, wie seltene Münzen ungenutzt in den Kasten legen? Oder sollen wir, weil hier und da eine Stimme in der Wüste sie ruft, deßwegen es nicht für unsre Pflicht halten, auch in unserm Zirkel ihre Echo zu seyn? Was ich zu sagen habe, und sollt es sich noch so felsenfest auf Seelenlehre, Logik und Erfahrung gründen, ist in Wirtemberg noch keine bekannte Sache; sondern man wirfts in die Rubrik der Neuerungen; deren Gift leider auch unser fast so orthodoxes Vaterland anzustecken beginnt, schüttelt den Kopf, und seufzt und wimmert, oder verdammt die ganze Semlerianische Brut (denn Semler ist ihnen der Abant aller Ketzer) zur Hölle, während uns die klügere Köpfe sich gemächlich auf ihrem Sessel dehnen und gähnend uns zurufen: Wozu die närrische Reformirsucht? — Laßt dem Dinge doch seinen Gang? Was habt ihr davon, ihn anderst zu leiten? — So ist's von jeher gewesen, aufeinander anders, folglich ist's ja wohl gut! Und unsre ehrwürdige Alten meynen: Haben wir Schellenkappen aufgesetzt, so mögen unsre Jungen sie immer auch tragen! Gott erhalte die Schellenkappen! Sie machen ein recht erbauliches Geklingel.

Wie dem sey, so hab' ich wenigstens eben soviel Beruf, meine Ueberzeugung zu sagen, als jene: sie zu;

verschweigen, oder überzeugt und unüberzeugt den alten Weg fortzuhinken, und als Lehrer eines rohen unwissenden, abergläubischen Volks sich das Verdienst zu machen; sie haben zu den Lastern und dem Elend einer nothwendig noch rohern, unwissendern und abergläubischern künftigen Generation durch Eigensinn oder Trägheit, durch Dummheit oder Pharisäismus das ihrige treulich beygetragen. Ich werde nichts sagen, als was Geschichte und Erfahrung bestätigen, und was der unverdorbne, gesunde Menschenverstand fassen kann. Wer den Krieg drüber anfängt, der mag's mit diesem ausfechten, oder den Satz anathematisiren, der schon so manchem christlichen Dummkopf oder Schurken und so manchem Feinde der Publizität ein Aergernis und ein Gräuel gewesen ist. Was ist, das ist! — Und nun zur Sache! —

Die Schulen, von denen ich jetzt rede, nennt man teutsche, zum Unterschied von den lateinischen, ob man gleich weder in diesen lateinisch, noch in jenen teutsch lernt. Fragt man aber, was die Jugend da lernen soll? so ist die Antwort: teutsch und Christenthum! —

Jede Gemeinde hat eine solche Schule. Zahlreichere Gemeinden besolden neben dem Schulmeister noch einen Unterlehrer, einen Provisor vorjetzund.

Bey weitem nicht an allen Orten des Landes findet man ein öffentliches Schulhaus, das vom Kirchengut gebaut wäre oder unterhalten würde, der Schulmeister muß dahero meistens sein eignes Haus haben, und

daß hindert die Wahl der tüchtigsten, weil man auf
Bürgers Söhne, die zugleich Hausbesitzer sind, zu
sehen hat, oder setzt den Kandidaten in die Nothwen-
digkeit, durch eine Frau aus dem Ort zu einer Wohnung und — zum Dienst zu gelangen. In vielen
dieser Schulhäuser ist dennoch überdieß nur ein einziges Zimmer, wo, besonders Winters Schulmeister
und Schulkinder, Weib und Säugling, Hund und
Kazen in Einem Tutti zusammen hätscheln und ge-
peitscht werden, zanken, heulen, singen, beten,
brummen, lallen, mauen. Was in diesem unend-
lichen Wirrwarr Musikversammlung seyn könnte, wenn's
nicht der mächtige Steden des Schulhalters thät,
begreift sich — Die Besoldung der Land-Schul-
meister ist meistens gering. Es giebt zwar Ausnahmen, besonders in so genanntem Unterland: Aber
gewöhnlich beträgt sie nicht über hundert Thaler,
oft nur Gulden und weniger. Und für hundert Gulden,
von denen man doch noch etwas für den Amts-Ornat,
eine schwarze Weste, einen Mantel, ein paar Kama-
schen und einen Haarbeutel abrechnen muß, kauft
man in diesen schweren Zeiten wenig Gelehrlichkeiten,
wenig Philosophie und Menschenkenntnis, noch weniger Lust und Liebe! Daßero ist der Schulmeister
meistens Bauer zugleich, und sein Amt behandelt er
als Nebengeschäfte. — Seine Bibliothek besteht aus
bei dem Apparat für seine Schule, dem Gesangbuch, dem Schatzkästlein, den Kinderlehren, dem
Konfirmationsbüchlein, dem Psalter mit der er-
baulichen Geschichte von der Zerstörung Jerusalems,
und der Bibel, höchstens noch in einer alten Postille,
einer alten hungarischen Chronik, worinn sich's mit

Schaudern von dem Gedanke [illegible] dem Diener [illegible]
und wenn er allenfalls in Filial-Kirchen zuweilen die Stelle
des Pastoris zu vertreten hat, in einem vom herzoglichen
Konsistorium gestempelten Predigt-Buch, das die Gemeinde für ihn anschaft. — Ist er aber kein gemei-
ner Kopf, so studirt er zuverläßig entweder Bengels
geoffenbarte Offenbarung oder Oetingers Mystik. Von
einem Buche, das den finstern Kopf aufhellen,
das statt lunarischer und supra-lunarischer Begriffen
nützliche, für diese Welt brauchbare Kenntniße anpflan-
zen könnte, von einem Volkslehrer, einem Lesebuch
fürs Landvolk, einer Erziehungsschrift, einem
Unterricht über Ackerbau, Vieh— Baum— Seide—
Bienen-Zucht ist nur gar die Rede nicht, und für
Menschen, welche kein anders teutsch verstehen, als
das Hebräisch-teutsche der Bibel, das Kauderwälsch
der Chroniken und der Kinderlehren, und den dunkeln
Wörterschwall apokalyptischer Predigten, würden solche
Bücher auch schwerlich brauchbar, denn sie sind in
einer für sie beynahe ganz fremden Sprache geschrieben, mit einem Wort, wie die Erfahrung beweist,
nicht nach ihrem Gusto. Es ist unglaublich, wie
Leute, die von Kindheit auf an Dunkelheit und Unsinn
gewöhnt worden sind, von dem lichthellen Begriffe zurück-
beben, mehr als ein hysterisches Fräulein vor einem
unvermutheten Wetterstral.

Anstalten zu Bildung künftiger Schullehrer, Schul-
meisterseminarien, Normalschulen haben wir schlechterdings keine, auch nicht einmal einen Schatten davon.
Wir könnten sie haben, eben so gut, als in irgend
einem andern Lande, daran ist kein Zweifel, und nach
Basedows Vorschlag, ansgeschickt aller nöthigen Kosten

und

und, mit niemals einschlummernder Aktivität, nur eine einzige Schule so einzurichten, wie man sie haben will, deren ausgewachsene Schüler nach zehen Jahren dann wieder sehr andere Schulen besetzen könnten, bedürften wir keiner dreyßig Jahre, um zum Glück unsers ganzen Vaterlands den vestesten Grund zu legen: auch weiß ich, daß einige Menschenfreunde sich gegenwärtig damit beschäftigen, diesen großen Wunsch wirklich zu machen. Indessen muß ich freylich von dem reden, was ist. — Gemeiniglich fühlt der älteste Sohn des pro tempore Schulmeisters den Beruf, in seines Vaters Fußtapfen zu treten. Der Vater lehrt ihn buchstabieren, lesen, schreiben, singen, rechnen, so weit er's selber versteht, höchstens ein Bißchen Orgel spielen*). Nach einiger Zeit prüft ihn der Superintendent der Diözese in diesen Dingen, abermals, so weit er's selber versteht, und fragt ihn: welches Glaubens bist du?; wofern der Kandidat dann noch zum Ueberfluß weiß, wie sich im Zählen der zehn Gebote, oder in der Lehre vom heiligen Abendmal, die Lutheraner von den Reformirten unterscheiden, so erhält er um die Gebühr ein schriftliches Zeugniß seiner Tüchtigkeit nebst der Bestallung als Provisor, und läßt sich seinem Vater adjungiren. Folglich entsteht er, lebt er, und stirbt er, wie eine Pflanze auf seinem väterlichen Hufe, und dreht sich in einem ewigen Zirkel von der Schulstube zur Pfarrwohnung, von der Pfarrwoh-

1. B.   N

---

*) Der Verfasser spricht hauptsächlich von Landschulen. Indessen paßt die Zeichnung auf weit mehr, als die Hälfte der Stadtschulen — wenigstens im Oberland.

D. H.

nung zur Kirche, von der Kirche auf den Acker, oder in die Schenke, und wenn's hoch kommt, in die nächste Amtsstadt. So pflanzt sich Unwissenheit, Aberglaube und sinnloser Schlendrian durch ganze Jahrhunderte fort — oder eigne helle Begriffe, ohn Erfahrung, ohne Fähigkeit Erfahrung zu machen, ohn irgend ein anderes pädagogisches Hülfsmittel als die liebe biblische Rute (denn die Rute darf nicht weggelegt werden, weil sie in der Bibel steht!) oder irgend ein anderes Medium, als das Gedächtnis, ist er der Mann, welcher der Erde Menschen, dem Staate Bürger, und wenigstens als Handlanger, dem Himmel Christen bilden soll!!!

Das Erziehungs-Wesen ist in Wirtemberg, wie beynahe noch überall, in den Händen der Geistlichen —* Der Pfarrer jedes Orts hat die Aufsicht über die Schule und den Auftrag, sie wöchentlich wenigstens Einmal zu besuchen. Es versteht sich, daß dieß von den wenigsten geschieht, sey's aus Bequemlichkeit oder aus Unwissenheit, oder aus Verdruß, sich die Hände gebunden zu sehn! Indessen muß aber aber, daß es

---

*) Man kann freylich gegen diese Verfassung manches einwenden. — Indessen da die Pfarrer für gewöhnlich in den Dörfern die einzige Personen sind, welche Aufklärung — wenigstens haben könnten, und da sie, wenn sie Freyheit hätten, die Kinder zu bilden, sich eben dadurch ihre künftige Gemeinden selbst bildeten, so sind die Gründe für hier immer noch überwiegend. Aber ganz anders verhält sichs mit der Hierarchie der ersten Ordnung! — D. H.

geschehe, dem Konsistorium jährlich in seiner Pastoral-Relazion * verifiziren, und vom Superintendenten nach dem Zeugniß des Schulmeisters verifiziren lassen, welches dann auch niemals einigen Anstand hat. Die Oberaufsicht, die Macht: Verordnungen und Einrichtungen zumachen, gehört dem Konsistorium; absezen kann es die Schulmeister, aber ihre Wahl ist beynahe durchaus das Vorrecht der Gemeinden unter dem Direktorium des Pastors, und dem Konsistorium bleibt auf erstatteten Bericht des Superintendenten das Recht der Bestätigung. Man sieht schon, daß es bey dieser Verfaßung weniger darum zu thun seyn werde, das Kind zum guten Menschen und Bürger, d. h. zum Christen, als zum guten Lutheraner zu machen. Und mittlerweile, wie natürlich, erreicht man weder das eine noch das andere.

Nach Verfluß des sechsten Jahrs ist man verbunden, die Kinder in die Schule zu schiken. Die Stunden sind Winters täglich fünf, drey Vormittags und Nachmittags zwo, Mittwoch und Samstag ausgenommen, wo man nur Vormittags die Schulen besucht. Diese Einrichtung bleibt in Landstädtchen auch den

N 2

---

*) Die Pastoral-Relazion ist ein Aufsatz über die kirchliche und Schulverfassung des Orts, welche der Pfarrer nach einer bis auf Papier, Format, Rubriken, Nummern, Worte, sogar vorgeschriebene Form einige Wochen vor der jährlichen Kirchen-Visitation dem Superintendenten einzuhändigen hat. In diesem Aufsatz muß unter anderem jeder Pastor seinem Schul-meister ein Zeugniß geben, welchem dann der Superintendent Eine Bestätigung beysetzt.

D. H.

Sommer durch: In den Dörfern aber wird in dieser Jahrszeit den Tag über nur zwo Stunden Schule gehalten, entweder Morgens frühe, oder Mittags nach der Konvenienz der Einwohner. Indeßen werden sie bey jeder Einrichtung selten besucht) theils weil der Bauer im Ganzen seine Kinder wirklich zu wenig entbehren kann, theils, weil er zu roh ist, um den Werth des Unterrichts zu fühlen, theils, weil die Kinder selber jeden Vorwand, hinter die Schule zu gehen, begierig zu umfassen pflegen, und beym Erscheinen einer unvermutheten Vakanz ungefähr die nämliche Empfindung haben, wie einer, dem beym Erwachen der Alp von der Brust weicht! —

Was sich ganz im Allgemeinen von der Methode sagen läßt, ist ohn' alle Uebertreibung dieß: daß durchaus ein freudenloser, mürrischer Ernst herrsche, der von Ermunterungen, von Belebung der Aufmerksamkeit durch die Kunst, eine Sache (welche dann aber freylich kein Kathechismus seyn müßte) den Kindern intereßant zu machen, von gefälliger Herablassung, von Kinderwerden bey Kindern, nichts versteht) und nichts einmal ahndet. Unter allen Schulmeistern, die ich kenne, weiß ich kaum Einen, der durch ein anders Mittel zu wirken verstände, als durch die Rute, und den Stock oder eine andere Leidenschaft zu erregen, als Furcht. — Es ist wahr, auch das Gefühl für Ehre wird zuweilen und nur zu häufig, in Bewegung gesezt: Denn man lozirt, wenigstens nach der Vorschrift, wöchentlich ein bis zweimal, im Auswendiglernen, im Schön- und Rechtschreiben: Aber die Mittel von solchen Männern angewandt, ist ein Maaßer

in der Hand eines Kindes.: Man wiederholt es nur
zu oft, und bey zu unbedeutenden Vorfällen: Und
bey Kindern, deren Gefühl für Schande durch das
ewige Murren und Schelten ohnehin schon geschwächt
ist, hilft's am Ende zu weiter nichts, als es vollends
weg zu tilgen. Wenn dann also die Furcht vor Schande
erstickt, und die Furcht vor Schlägen samt dem
Schmerz durch Gewohnheit betäubt ist, so ist für
Lehrer von diesem Schlag schlechterdings keine Hülfs-
quelle mehr, als den ungerathenen Buben gehen zu
lassen, oder — sich zu Tode zu ärgern, wobey dann
freilich die Welt immer am wenigsten verliert! Mit
einem Wort, der künftige, störrische, sclavische,
fühllose Bauer ist fertig. — Die Wahrheit dieser
meiner ganzen Darstellung liest man schon auf den
ausgezeichneten steifen, verzerrten Gesichtern so mancher pädagogischen Dorfpedanten, und hört sie aus
den ewigen Klagen über die Unart, die Nachlässigkeit,
die phlegmatische Verstocktheit seiner Teufelskinder,
wobey ich dann doch die Bemerkung nicht vergessen
darf, daß auch der unzufriedenste Dummkopf mit den
Mädchen immer noch mehr zufrieden sey, als mit
den Knaben, zum Beweis entweder der frühern Ge-
lernigkeit, oder der größern Wirkung der Furcht auf
die zärtern Nerven des weiblichen Geschlechts.

Nun ist Zeit, meine Behauptungen durch neue Darstellung des ganzen Ganges des gewöhnlichen Schul-
unterrichts zu rechtfertigen. Zunächderst muß ich mir
die Freyheit nehmen, eh' ich von der Verfassung der
Schulen rede, wie ich sie Jhnen gelernt habe, mich
auf die authentische Wirtembergische Schulordnung zu

beziehen, nach welcher alle Schullehrer des Landes sich zu richten haben. Sie hat den Titel: Erneuerte Ordnung vor (für) die teutschen Schulen des Herzogthums Wirtembergs, zum Verhalt derselben (zur Vorschrift für ihre) Vorsteher und Bedienten. Auf Herzoglichen gnädigsten Befehl in Druk gegeben Stuttgardt bey Chr. Fr. Cotta, Hof und Kanzley-Buchdruker. 1782.

1782! werden meine Leser ausrufen, und ein solcher Titel, der sich durch nicht weniger als drey abscheuliche Sprachfehler auszeichnet! — Wie ist's möglich, daß ein ganzes so ansehnliches Kollegium, wie dasjenige, welchem die Aufsicht über die Schulen vertraut ist, die Schande [2] — doch ich will Ihnen aus dem Traum helfen, und die Ehre meines Vaterlands retten. Der Buchdruker Cotta hat den Debit aller Normal-Schul- und Kirchenbücher gepachtet! Da läßt er nun nach seiner Konvenienz von Zeit zu Zeit neue Abdrüke veranstalten, und so entstand auch dieser unglückliche Kontrast der Jahrzahl und des Titels. Diese erneuerte Schulordnung ist, wie ich nicht anders weiß und glaube, die nämliche, die 1729 war gewesen, und 1785 veraltet ist. Und diß beweist der statt der Einleitung vorgedrukte Edikt von Herzog Eberhard Ludwig. — Indessen, da seitdem nichts neues zum Vorschein gekommen ist, so kann man's uns nicht verdenken, wenn wir uns an das halten, was unter so öffentlicher Autorität vorhanden ist. Aus der angeführten Verordnung, die in der That besonders in Rüksicht auf Schulpolizey manche gesunde Gedanken enthält, will ich mit der Veranlassung ennöhnen, wodurch diese neue Schulordnung entstanden ist. So können wir uns dann gleich für sie in den rechten Gesichtspunkt stellen. Es heißt nämlich: Un= geachtet seiner bisherigen Sorgfalt für die Schulen sey dem Fürsten doch „ zu seinem äußersten Mißfallen „ von seinem lezthin versammelten Synodo * unter= „ thänigst hinterbracht worden, daß in verschiednen „ teutschen Schulen seines Herzogthums und Landen sich „ großer Mangel hervorthun, und die Jugend nicht „ allen Orten recht geführet, insonderheit das „ Christenthum nur als Nebenwerk tractirt, oder „ in dessen Behandlung die rechte Zeit, Art und „ Ordnung nicht in Acht genommen werde, mithin „ die liebe Jugend an manchen Orten nicht wenig „ zu Schaden komme. " — (Da haben wir's! — Was man unter Christenthum verstehe, werden wir unten sehen.) —

Nun S. 1. — 8 ein Auszug aus der Wirtem= bergischen großen Kirchenordnung. — a) vom Un= terschied der Schulkinder: Knaben und Mägdlein be= sonders zu setzen. — b) Von der Lehr. — Der Schul= lehrer soll die Kinder in drey Häuflein theilen. „ Das „ Eine, darinn diejenige gesetzt, so erst anfangen zu

R 4

---

*) Das Konsistorium mit Zuziehung der vier General=Superinten= denten versammelt sich jährlich mit Anfang des Oktobers für 6 Wochen, läßt sich die Kirchen=Relationen vom ganzen Lande vortragen, macht neue Verordnungen (General und Special= Rezesse, jene fürs ganze Land, diese für einzelne Kirchen, oder Schuldiener) und heißt in dieser Zeit uneigentlich die Synode.

D. E.

»buchstabiren. Das andere, die, so anfangen, die
»Silben zusammen sezen. Das dritte, welche an-
»fangen lesen und schreiben. Deßgleichen unter jedem
»Häuflein sondere Rotten machen, also, daß die-
»jenigen, so einander aus jedem Häuflein zum gleiche-
»sten zusammen gesezt werden rc. rc. Und dieweil die
»Kinder vor allen Dingen zu der Furcht Gottes *
»gezogen werden sollen, so wollen wir auch, daß die
»Schulmeister keinem Kind gestatten, einige ärger-
»liche, schändliche, sektische Bücher, oder sonsten
»unnütze Fabel-Schriften!! in ihrem Lernen
»zu gebrauchen, sondern daran seyn, wo sie gedruckte
»Bücher gebrauchen würden, damit sie in christlichen
»Büchlein, als der Tafel, darinn der Katechis-
»mus, Psalmenbüchlein, Spruchbüchlein Salomonis,
»Jesus Syrach, neuen Testament und vergleichen
——— (rc. rc. rc.

(*) Furcht Gottes! Furcht Gottes! — Was heißt das?
— Warum nicht Liebe zu Gott? — Wie steht vernünftiger der Vater sein Kind zur Liebe? — Durch Schläge,
durch Drohen, durch Auswendiglernen lassen, dessen, was
man seinem Kinde für nützlich, und gut hält? — Oder
durch Wohlthaten, durch zuvorkommende Freundlichkeit, dirch
Übung in dem, was dem Kinde gut ist, und wenn das
Kind dann doch gegen seinen wahren Vortheil handelt, durch
fühlbare Achtung der natürlichen Folgen der schädlichen Handlung! — Und wenn der vernünftige Vater Liebe will, was
heißt dann Furcht? — Schade, dem geliebten, liebenden Vater wehe zu thun, die edelste, kindlichste Empfindung des Menschen Herzens! — Alle andere Forcht (Furcht) ist unchristliche
Sklaverey, und alle Mittel eine andere zu erregen, sind abscheu-
lich! —

D. E.

,, lernen, besonders aber den Katechismus :c. :c. c)
Zucht — ,, Die Schulmeister sollen von ihren Schul-
,, kindern nicht selber Gotteslästerung, schändliche,
,, leichtfertige Reden," vielweniger ärgerliche Sachen
,, und Handlungen. — Prozessionen in die Kirche;
,, aus der Predigt sagen lassen :c. und in möglichste
,, Weg Fleiß fürwenden, daß sie sich gottesfürchtig,
,, züchtig, ehrbar, friedlich, säuberlich und frölich
,, halten und erweisen. " — (Vortreflich! Hätte
man ihnen nur auch gesagt, wie sie das Ding machen sollten! — dann wär' es noch vortreflicher!)
,, Es sollen aber die Schulmeister in dem Züchtigen
,, die Ruthen mäßiglich gebrauchen, die Kinder nicht
,, poldern, bey dem Haar ziehen, um die Köpf
,, schlagen, oder vergleichen, sondern in den Strafen
,, Maaß zur Besserung der Kinder, und nicht Abschre-
,, ckung vor der Schule halten. " [...]

Alles recht teutsch, und recht zweckmäßig für's vorige Jahrhundert: Aber für 1785? [...]

§. 16. Schulgesetze, den Kindern in
den teutschen Schulen vorzulesen. — ,, Die
,, Kinder sollen — fromm seyn, Gott fürchten und
,, lieben, andächtig beten, fleißig lernen, friedlich
,, sich betragen :c. das alles sollten sie. — [...]

Nun S. 96. Special-Instruktion vor
(für) die teutschen Schulbedienten (:c) — Der
Anfang ist merkwürdig: Cap. I. von dem ordentlichen Beruf der Schuldiener. — ,, Schulen

„ feynd der Vorhof des Heiligthums: Schikket sich
„ dennoch nicht, daß in die Schulen sich ein Lehrer
„ wage, der nach Gottes (???) und der Menschen
„ urtheil für profan zu halten ist, so wenig als
„ dergleichen Leute in das Heiligthum selbst, d. i.
„ in die Kirche gehören. Darum soll sich keiner unter-
„ stehen, in die Schulen einzutreten, wann (wenn)
„ er nicht einer ehrlichen Geburt und guten Leu-
„ munds ist, als ohne welche zwey Stüke er zum
„ voraus wisse, daß er nicht einmal bey einem Ehr-
„ samen Handwerk, werde geduldet werden. " —
Cap. III. von ordentlicher Einrichtung des Schulwe-
sens. — Drey Klassen, wie oben. „ Nach dieser
„ Ordnung seynd (sind) auch denen (den) Kindern
„ ihre Pensa vernünftig anzuweisen, und ihnen von
„ Tag zu Tag, von Stund (Stunde) zur Stunde
„ zu zeigen, was man mit ihnen handeln werde, wel-
„ ches, damit sie es nicht vergessen, in eine Tabell
„ zu verfassen (welche sich in den wenigsten Schulen
„ findet) Nicht weniger seynd einer jeden Klaße ihre
„ gewiße und zwar einerley Büchlein in die Hand zu

---

*) Das ist lustig! Wenn irgend ein Levite aus den Zeiten des
Jojada's, oder irgend ein von der Römischen Kurie gedunge-
ner Fürsprecher der Hierarchie dies gesagt hätte, so möchte
man's hingehen laßen! Aber in einer protestantischen Schul-
schrift unter öffentlicher Autorität solche Phrasen drucken
laßen 2c. — und man bemerke, der erste § eines Schulun-
terrichts beginnt mit einem die Menschheit schändenden Vortheil! — Edle und unedle, ehrliche und unehrliche, sittliche
und — unsittliche (doch nein! unsittliche giebt's keine?)
...! Welche inopportune Begriffe!!!

D. H.

„ geben) da dann die erste Klaße mehr nicht als ein
„ gepapptes A B C und Namenbüchlein samt
„ der sogenannten Milchspeise nöthig hat, (enthält
in Fragen und Antworten das Christenthum z. B.
die Lehre von der Dreyeinigkeit, von der Satis-
faktion, vom Teufel, und ist ein Büchlein in
klein Sedez, als wenn unverständliche Dinge dadurch
verständlicher würden —) zu der andern Klaße wird
schon etwas mehrers (mehr) erfordert, nämlich neben
dem Katechismo und Schatzkästlein etwa auch ein
Psalter. (Davon unten.) Dazu muß in der dritten Klaß noch kommen ein Neu Testament, eine Kinderlehr (Lehre) wie auch ein Konfirmations- und
Gesangbüchlein, um sich derselben sowol zum lesen
als auswendig lernen bedienen zu können. — Ferner
solte (soll) ein jeder Schuldiener sich gegen jedesmali-
ger Visitation (jedesmal gegen die Zeit der Visitation)
gefaßt machen in einer Schultabell, denen (den)
Visitatoribus den ganzen Zustand ihrer Schule unter
die Augen zu legen 2c. 2c.

Die Tabelle ist folgende:

Schultabelle.

Classe.	Namen der Kinder.	Namen der Väter.	Alter.	Gelernigkeit.	Auswendig lernen.	Lesen.	Schreiben.	Rechnen.	Sitten.	Versäumte Stunden.		Mangel.
										Winters.	Sommers.	
1.	Carl	Johann Georg. S.	13.	Gut.	Gut.	Gut.	Gut.	Regel de…	Muthwillig.	12.	15.	0
2.	Christoph	Adam H.	14.	Hart.	Mittelmäßig.	Gut.	Mittelmäßig.	3 Reo.	Boshaftig.	2.	0.	0
3.	Heinrich	Stephan F.	14.	Fähig.	Mittelmäßig.	Gut.	Gut.	—	Still.	2.	1.	0
4.	Matth.	G. Sch.	12.	Mittel.	Mittel.	Gut.	schlecht.	—	From.	0	0	0

J. Schulmeister K. J. A. Evr.

Die Rubrike, Mangel — betrift die Schulbücher,
welche dann den Bedürftigen vom pium corpus ange-
schaft werden.

Alles in Wirtemberg gibt und bekommt *Testimonia.*
Vom untersten Schulknaben an, der abwechselnd Zen-
sor wird, und die schwazende, muthwillige aufzeichnen
muß, inclusive, bis auf die geistliche und weltliche
höchste Oberhäupter exclusive! — Alles karakterisirt
und wird karakterisiret! — wenigstens im geistlichen
Fach, und so weit jemand damit in Verbindung
steht — der Pastor gibt dem Schulmeister Zeugnis,
der Schulmeister dem Pastor, der Superintendent
dem Superintendenten! Und dis alles wird mit dem
Siegel des Geheimnißes versigelt! — So erfährt
der Schulknabe nichts vom Zeugnis, das ihm sein
Schulmeister, der Schulmeister nichts von dem, welches ihm sein Pastor gibt u. s. w.

Welche treffliche Gelegenheit zur Befriedigung gehei-
mer Leidenschaften, des Eigennuzes, der Rachbegierde,
der Eifersucht, wenn nicht zu allem Glück auch diese
Einrichtung nur zum Schlendrian gehörte! Der Superintendent hat seine Formulare und der Schulmeister
die seinige! Und nach einem stillschweigenden Vertrag
achtet der höhere eben nicht viel auf diese Zeremonie,
legt die ganze Charakterschilderung gleichgültig bey
Seite und thut wohl dran! — Denn man denke
sich, ich will nicht sagen einen Schärfen, sondern nur
einen Dummkopf von Schulpedanten, der den ganzen
noch unentwikelten Karakter in ein einziges Wort,
wie boshaftig, leichtsinnig ꝛc. ꝛc. zwängen soll,

was da heraus kommen würde, wenn diese Zeremonie Folgen hätte! — Und traurig genug, wenn man in bedeutendern Fällen darauf achtet! — Denn wer am schlimmsten weg kommt, ist für gewöhnlich immer der Mann ohne Sklavengesinnung und Vorurtheil. — Man verzeihe mir diese, vielleicht etwas deklamatorische Ausschweifung, die eigentlich in ein ganz anders Kapitel gehört. — Nun wieder zur Sache!

Cap. IV. Von Unterweisung der Jugend —

Stunden — Außenbleiben der Kinder — Was am ersten zu traktiren — Das Christenthum ist das Hauptwerk — „Schulen sind nicht anzusehn „ als eine bloße Bereitung zu dem bürgerlichen Leben, „ sondern als Werkstätt (stätten) des heiligen Geistes, „ worinnen die Kinder zu der Forcht Gottes sollen an „ gewiesen werden, weilen dem Herrn nicht allein mit „ geschickten, sondern mit frommen Leuten am meisten „ gedient ist. " —

Was ist Wahrheit? fragte Pilatus. — Was ist Christenthum? frag' ich mit größerm Recht. — Ich denke, Christenthum sey die Fähigkeit: für diese Welt recht brauchbar und recht nützlich zu seyn, durch thätige Ausübung der Gesinnungen eines allgemeinen Wohlwollens. Das andere dünkt mich, folgt dann von selbst wie die Konklusion aus den Prämissen. — Die Prämissen sind: Aechte Gotteskenntniß im Verstand, und ächte Ausübung der daraus fließenden Pflichten im Willen; Die Konklusion ein fröhliches,

sinnes, zeichnet aber, d. i. gegenwärtige Seligkeit und eben deßwegen auch zukünftige. Denn
wenn wir auch der strengste Eiferer für Orthodoxie
zugeben muß, daß das gegenwärtige Leben Vorbe-
reitung auf's künftige ist, so muß ich nothwendiger
Weise erst damit mich beschäftigen, eh' ich an die
Sache selber gehe. Ich muß folglich erst für diese
Welt leben, eh' ich für die künftige lebe, folglich auch
für diese Welt erst mich bilden lassen. Wenn ich, eh'
ich eine der sogenannten höhern Wissenschaften,
etwa Rechtsgelehrsamkeit, studire, mir vorgenommen
habe, zwey Jahre lang mir erst Vorkenntnisse zu sammeln, so handl' ich ja zwecklos, wenn ich dann dennoch diese versäume, und gleich anfangs Institutionen
und Pandekten höre — Aber ein unseliger Aberglaube
hält Gegenwart und Zukunft, die doch im nämlichen
Verhältnis stehn, wie Ursach und Wirkung, für so
Heterogen, als Oel und Wasser, die sich niemals
vereinigen lassen, und begreift nicht, daß der beste
Bürger auch der beste Christ, und der beste Christ
auch der beste Bürger sey, und daß jeder ächte Zu-
wachs unsrer Einsichten, von welcher Art er dann
sey, uns nothwendig im Ganzen glüklicher mache. —
Wenn ein Christ seyn, ein guter Mensch seyn heißt,
so ist diß freylich das Hauptwerk. — Heißt es etwas
anders, so ist mir der Name Christ ein leerer Schall,
wie Abrakadabra, gut für Betrüger und Gaukler, und
schwärmerische Thoren. Nun fragt sich's also, was
unsre Schulordnung für Mittel an die Hand gebe,
um ihre Kinder zu Christen, das heißt, zu guten
verständigen Menschen zu bilden?

„ Daran thun nicht genug, daß .... einen Tag,
„ und zwar den Freytag aussetze: Man muß wissen,
„ daß andere Dinge den Kindern leichter eingehen, als
„ das Geistliche. (: was ist das? — Unver-
„ ständlicher, theologischer Wörterschwall? oder nach
„ Jesus Beyspiel praktische Anweisungen zur Tu-
„ gend? — :) Von jenem ist's freilich wahr, aber
„ wer wollt auch die Unverschämtheit haben, und es
„ für Christenthum, sie etwas Geistliches verkaufen
„ wollen?) " Darum dieses nicht so bald gethan,
„ und ausgerichtet ist. Solle demnach jedes Tags
„ die erste ganze Stunde, Freytags aber der ganze
„ Tag dazu genommen werden." Immer noch wenig genug, wenn Christenthum das seyn soll, was
der gesunde Menschenverstand.* Ich darunter denken
...... aber weit, weit ......, wenn Christenthum
nichts ist, als Wörterschwall und leeres Gedächtnis......
....
....

* Es ist sonderbar, daß der Verfasser immer von Menschen-
verstand beym Christenthum spricht! Unsere schwäbische Theo-
logen wollen ja ausdrücklich keine .... Vernunft —
Die bey Menschen immer von schwachen .... des Lebens
.... breiten Weg philosophischer Untersuchungen, das ist, auf
.... Weg der Verdammnis abführt. — Sie wollen Glauben!
Das heißt blinder Unverstand, Nachbeten der alten Leyer.
Ihre Hochwürden, Hoch und Wohlehrwürden, denen der
Glaube Lebensnahrung und Nothdurft giebt — dürfen
freylich nach den Regeln der Selbsterhaltung immer
.... — ...... Ersaz, ... Glauben ...... kann auch
immer zur ....
hic niger est, hunc tu Romane caveto!

Anm. des Setzers

werk. — doch das wird sich weiter unten auch
lehren.)

» Dem zufolge wird das Gebeth empfohlen, das
» niemalen unterlaßen, aber auch nicht liederlich tra-
» ctirt werden soll ꝛc. ꝛc. 'Es sey ja doch der
» Schlüssel zu dem Herzen Gottes, wodurch
» sich alles Gute erlangen laße. — Der Anfang
» gleich morgens mit einem andächtigen Morgensegen
» und zwar mit der über alle Maßen vollständigen
» Formel unsers seligen Lutheri: Das walt Gott
» der Vater: Ich danke dir ꝛc. ꝛc. * Dann folget
das Gebet des Herrn ** Ueber das ein Katyghet,
z. B.

¶ Ob sie vollständig sey, weiß ich nicht: denn mit welchem Grund nimmt man eine Formel der Synode von Nicäa darum auf, um nicht auch eine von denen in Chalzedon oder zu Constantinopel, allenfalls von den drey Kapiteln — Aber daß kein Kind verstehe, was das Walt Gott ꝛc. seyn soll, das weiß ich.

D. E.

* Der Her. wußte in s. 13ten Jahre die Bedeutung deßelben nicht, weil es — sein Schullehrer selbst nicht wußte — und doch mußt er's manches Jahr täglich ex officio herunterplappern — aber erklären ist auch die Sache unsrer Schulmeister nicht! Ich rede vom Haufen:

D. H.

** Welches ein rechtgläubiger lutherischer wirtembergischer Christ an Werktagen wenigstens 8 — 10 mal, und an Sonntagen wenigstens 16. — 18 mal betet! Ich zweifle, ob ein Katholike so hoch kömmt! —

D. H.

so aus dem Schatzkästlein kann genommen werden; und endlich schließt man mit dem Seufzerlein: O Herr hilf! O Herr! laß alles wohl gelingen! ꝛc. ꝛc. Eben so genau vorgeschrieben sind die Gebete auch der Schule Nachmittags ꝛc. ꝛc. — doch — muß ein recht-
» schaffner Schulkherr seine Kinder überhaupt
» aus eignem einfältigen Herzen beten lehren ***
» und sie dahin angewohnen **** daß sie auch unter
» dem Lernen zum öftern zu Gott um Licht und Bey-
» stand und Segen ꝛc. ꝛc. so wohl vor (für) sich,
» als auch vor (für) andere seufzen z. B. Wann (wenn)
» es im Lernen schwer hergehen will: Ach Gott!
» öfne mir die Augen meines Gemüths! Ach himm-
» lischer Vater stärke mir das Gedächtnuß (Ge-
» dächtniß das — und welcher schiefe Begrif: Ach!
lieber himmlischer Vater! mach mich zu einem Neu-
ton 1) ꝛc. ꝛc. Und da mus er den Anfang machen mit

*** Wenn Kinder beten müßen, so ist dies freylich das klügste — aber fürs Erste geschiehts nicht, fürs andere wird und muß es in unsern Schulen bald entweder in Mechanismus und Formeln ausarten (denn für einen, der Kinder beten lehren soll, gehören mehr, als hundert Thaler Besoldung) oder zu Gelächter und Leichtsinn veranlasset werden: Und fürs dritte — gehören mit einem Wort in eine Anweisung für Landschulmeister nicht nur Worte, sondern auch, wie sie's thun sollen.

D. E.

**** Wie? wie dies?? Was wäre das für ein lustiger Befehl, der schlechtweg so lautete: wir von Gottes Gnaden befehlen unsern Unterthanen, daß sie Berge versezen sollen? Sie thäten mit den Letzten den Anfang machen. Die Vorgesetzten werden schon auch das ihrige dabey thun.

D. H.

den fähigsten :c. ! Diß ist der einzige Handgriff,
der angegeben wird. — Die Formlen (Formeln) müßen
zum öftern von den Schulmeistern aus der Kinderlehre, (Siehe unten) und allenfalls von den Pfar-
rern deutlich erklärt werden. :c. :c.

Entschuldigung weg der zu kurzen Schulgebete,
weil noch mehr zu thun sey. — „Die Art und Weise
„ betreffend, so wird eben nicht vor (für) nöthig ge-
„ achtet, daß alle Kinder auf einmal laut zusammen
„ schreyen: Dann obwoten (denn obgleich) ein solch
(solches) gemeinsames (gemeinschaftliches) Gebet —
Geschrey in einer sonderbaren (besonders) großen
Noth schott (immerhin) kann gebraucht werden: * so
ist doch in einer Schule vornemlich um das Lernen der
Kinder zu thun :c. :c. —

Wie die Unarten beym Beten zu verhüten —
durch Erinnerung, daß sie unter dem Beten vor Gottes
„ Angesicht sitzen: die Ungehorbige unter dem Beten
„ hat der Schulmeister also gleich mit einem Wink
„ der Augen oder der Finger, nicht aber mit vielen
„ und noch weniger mit zornigen und bösen Worten
„ oder Streichen zu korrigiren, bis das Gebet vorbey
„ (ist) — da er die unartige erst zur wörtlichen oder

---

* Tanzen wir dann noch um die Altäre Baals, den wir we-
den müßen? Heilige Philosophie! Erbarme dich unser!

„ allenfalls auch wirklichen ** Bestrafung zu ziehen
„ (hat.) —

„ Singen geistlicher Lieder und Psalmen als ein
Stück (Theil) des Gottes-Dienstes; doch nicht zu
„ langsam und träge, angesehen dasselbe eine schläfrige
„ und mühesame Andacht zeiget, und allzu viel Zeit
„ wegnimmt, daß man desto weniger!!! Geseze singen,
„ kann ic. “

Ich möchte wissen, ob der Verfasser dieser Schulordnung einen Choral der Reformirten gehört, und
was er überhaupt für Begriffe vom gottesdienstlichen
Gesang gehabt hätte. — Eine mühesame Andacht
freylich! — Aber man könnte fast nicht so viele Geseze
(Strofen) singen! „ Nächst dem Gebet, kömmt es
„ des Morgens auf das Bibellesen an. Der Schul-
„ meister soll vorlesen (dieß geschieht nicht) —
„ Nach dem Lesen wären die geschikteste um den Inn-
„ halt zu befragen (geschieht nicht und kann nicht ge-
„ schehen; weil zu viel Pensa da sind ***) „ die
„ noch übrige Hälfte der ersten Stunde ist zur Recit-

** Eine sehr kommode Art, die Kraft des Gebets handgreiflich
zu machen, Ob's aber nüzt und nicht vielmehr Eckel vor dem
„ Schlafbringenden “ Gebeth erregt? Gerade — wie bey einer gewißen Festivität an einem ausländischen Fürstenhofe,
wo keiner der gebückten Unterthänen Vivat der Landesvater!
schreyen wollte — und ein Dutzend Korporäle mit Stockprü-
geln das Volk ermahnte, wollt Ihr vivat! rufen; Ihr Schwe-
reuothshunde?

D. H.

» tirung des schon auswendig gelernten * sorgfältig
» und zwar so anzuwenden, daß jedesmal mehr nicht
» als nur eines von den 6 Hauptstücken unsers Bren-
» zischen Katechismi, und so dann entweder ein
» einiger (einziger) Buchstab aus denen (den)
» Alphabeth-Sprüchen, oder ein Psalm abwechslungs-
» weise erfordert werde — und das fein deutlich,
» nicht schnabern, etwas auslassen oder zusetzen **
» nicht durch die Nase reden, oder daher singen 2c. 2c.
» man soll sie lieber eine Sache zwey, drey und
» mehrmalen sagen lassen. — Zugleich soll man's

O 3

---

* Da haben wir's, was Christenthum ist: — Gebetsformeln,
alle Tage die nämliche Stammerbeulen, von denen man keine
Silbe versteht, in der Bibel die skandalöse-Chronik der israeliti-
schen Fürsten lesen, (denn Auswahl ist weder vorgeschrieben,
weil alles Gottes Wort ist, weswegen selbst Lehrer der Theologie im Wirtembergischen dem ihnen so lieben Seiler seine
Bibelauszüge zum Verbrechen machen; noch wird sie beobachtet. Glücklicherweise unterbleibt es meistens, und die
Kinder verlieren Gott sey Dank! nichts, da ihr Lesebuch
das Neue Testament ist!) ist freylich noch nicht hinreichend,
das gesteh ich! Aber Auswendiglernen, Auswendiglernen,
das setzt den Deckel auf den Topf! —

**) O der liebe Mechanismus! — Wenn das Kind ein Bind-
wörtchen wegläßt, oder ein Synonym fürs andere gebraucht,
ein Zeitwort in einer andern gleichbedeutenden Stellung
sagt, wodurch es gerade seine Beurtheilungskraft zeigen,
und vom Leisten sich ein Bißchen entwöhnen könnte, so kriegts
Prügel!

B. R. W.

„ den Kindern erklären, * und sie das Gelernte ordent-
„ lich auseinander lesen und zergliedern lehren. "
Weil aber mancher Schulmeister die vorgekommne
Antworten nur radebrechen, verkezern und elendiglich
zermartern würde, als „ soll ein sorgfältiger Dekanus
„ entweder selbst oder durch den Pfarrer dem Schul-
„ diener mit einem solchen Auszug = und Zergliederung
„ wenigstens über den Katechismus, Busspsalmen und
„ die Alphabeth = Sprüche treulich an die Hand ge-
„ ben. " (Für's Erste, geschieht diß nicht: Und für's
andere, was soll's dann heißen? — Eine bloße
Analyse der Konstruktion? — Das möchte noch hin-
gehn, so wenig die Kinder dadurch einen Begrif weiter bekommen : Oder eine weitere Erklärung? —
Und wer gibt dann dem Schulmeister die Erklärung
über die Erklärung? — Und dann wieder die Erklärung über die Erklärung der Erklärung? Die Erklärung müßte mündlich geschehen, müßte dem
Schulmeister praktisch bey den Kindern gezeigt werden, und dazu sind ja Kinderlehren : Aber wer will
in den dunkeln stumpfen Kopf eines Schulmeisters Licht
hineintragen? — Es ist nicht die Natur aller Köpfe, etwas deutlich machen, oder das deutlich ge-

---

*) Der Her. war vor einigen Jahren in einer wirtemberg.
Stadtschule, wo ein Schüler seinem Lehrer die — Frage
aufwarf: „ was ist Beschneiden und — Vorhaut? " — der
Schulm. nahm ohne Bedenken sein Gesangbuch, und — schlugs
dem zwölfjährigen Frager dreymal um den Kopf! das brauchst
du nicht zu wissen du Lümmel! „ — das war ja Erklärung
ad hominem!

D. H.

machte fesen zu thunen: Und, was noch schlimmer
ist, es ist nicht die Natur aller Bußpsalmen und
Alphabeth-Sprüche, sich deutlich machen zulaßen,
am allerwenigsten für Kinder!)

„ Sonderlich hat man dahin zu arbeiten, daß das
» Gelernte denen Kindern wohl zu Nuzen kommen möge:
» Darnenhero (daher) ihnen zu zeigen, wie z. B.
» dieser oder jener Spruch zu Behauptung, dieser oder
» jener Lehre und Wahrheit in dem Katechismo nüz-
» lich zu gebrauchen seye. * Nicht weniger, wie das
» Gelernte in dem Leben zur Beßerung und Ermun-
» terung könne und solle angewendet werden. —
» Der Feyrtag aber ist ganz zum Christenthum
» anzuwenden; d. h. zum Aufsagen und Auswendig
» lernen eines Kapitels aus der Kinderlehre, eines
» von denen auserwählten Psalmen und endlich eines
» geistreichen Lieds, auch bey kleinern (denn der
» Schulmeister soll sich nach den Fähigkeiten richten)
» einiger Fräglein aus dem Milchspeislein — »
» So kann auch dieses einen stattlichen Vorschub in

O 4

---

*) Bravo! Was kann man da nicht alles erweisen! Ich möchte
mir doch eine Idee von der Dogmatik im Gehirn eines Bau-
ernknaben machen können! — Z. B. daß man die Kinder seiner Feinde an einem Stein zerschmettern müsse, daß die Hölle
ein Feuerofen und eine Böpfütze zugleich sey, daß der liebe Gott
den Teufel zu seinem Spionen brauche ꝛc. ꝛc. Liegen nicht
alle und hundert ähnliche Säze für den Bauer klärer in der Bibel, als z. B. die Lehre von der Dreyfaltigkeit?

D. H.

„ Erbauung der christlichen Lehre *) geben, wann
„ bey denen Kindern auch ihr übriges lernen im
„ Lesen und Schreiben auf das Christenthum
„ eingerichtet wird — **) das Gelernte soll sein
„ öfters wiederholt werden: Auch soll keines von
„ den Schulkindern ohne sein ordentliches Register
„ gelaßen, in dasselbe alles, so bald es gelernt ist,
" aber nicht zuvor, eingetragen, und mit Fleiß be-
„ sonders angeführt werden, was es so wol an
„ Sprüchen, Psalmen, Gebet und Liedern aus-
„ wendig gelernt, als auch wie oft es seinen Kate-
„ chismum, Konfirmationsbüchlein und Kinderlehr
„ hinaus gebracht hat!„ Und weil das alles demsel-
„ gen solle gleichsam zum Grund liegen, und zu statten
„ kommen, was öffentlich in denen Predigten wird vor-
„ getragen, so ist nöthig, daß die Schuldiener
„ ihre Kinder auch ordentlich zur Kirche, und
„ als Lämmer Jesu auf die grüne Weid des Worts
„ zu ihrem Hirten führen, sie in der Kirche bey
„ möglichster Andacht und Aufmerksamkeit erhalten, ***)

---

*) Am Rand steht hier, wie das Auswendiglernen zu erleich-
tern? — Was brauchen wir weiter Zeugnis? — Auswendiglernen ist — — Christenthum!!

D. E.

**) Das geschieht nun treulich — wie im folgenden klar er-
wiesen wird!

D. E.

***) Wie das? — Wie das? — wo die Kinder nichts begrei-
fen, nichts verstehen, und auf so viel andere Gegenstände zu
achten haben! — Durch Schläge, durch Zwang? — Oder
durch Vorstellung: Liebes Kind! ennupre dich doch nicht, wenn
du dich gleich unumgänglich ennupren mußt! - Liebes Kind
Begreife doch, was du nicht begreiffst!

D. H.

„ und nach der Kirche sie wiederum befragen.
„ Die kleinere sollen etwa ein Sprüchlein aus der
„ Predigt sagen, die größere wenigstens die proposition
„ samt der Eintheilung und einigen Lehren, die Geübteste
„ und Geschikteste nach und nach aber auch den Eingang
„ und den Zusammenhang der Predigt. „ — — S. 57.
„ Nach dem Christenthum hat ein rechtschaffner
„ Schuldiener nunmehro auch auf das übrige
„ seinen Fleiß zu wenden, nemlich Lesen, Schreiben
„ und Rechnen “ — — —

Und nun lasse man mich Athem holen! — Mit dem
Uebrigen wird's ja wohl gute Weile haben, wenn's
mit dem Christenthum seine Richtigkeit hat ! —
Wenn man diese ängstliche Sorgfalt erwählt, jede
Minute für's Christenthum zu gewinnen, diese ernst-
liche Vorschriften, was die Schulmeister alles ange-
wöhnen, erklären, lernen laßen sollen, dieses zu Hülfe rufen menschlicher und göttlicher Kräfte, so sollte man
ja auch auf die Vermuthung gerathen, daß aus den
Wirtembergischen teutschen Land-Schulen lauter Glaubens und Lebens-Helden, wie Arndt und Spener,
lauter Dogmatiker, wie Quenstädt und Sar-
torius, und lauter lebendige Konkordanzen hervorgehen
müßten! Und ohne Zweifel hat man auch diese löbliche
Absicht gehabt! Aber wenn, wer diese süße Hoffnungen
hat, nun mit eignen Augen sieht, nun mit eignen
Ohren hört, wie tief und wie dicht die Nacht der
Dummheit, der Unwissenheit, und des Aberglaubens
noch überall über diesen so sorgfältig gebildeten Christen liege, wie die Begriffe von Religion überall in
bloßes äußerliches Zeremoniel ausgeartet seyen, und
wie wenig Duldung und Menschenliebe durch all diese

Anstalten gewonnen haben und gewinnen, was muß er
wohl denken ? Ohne Zweifel wird er über die ver-
derbte menschliche Natur, die auch durch die bestge-
meinteste und kräftigste Beförderungsmittel des Guten,
ungeachtet der allmächtige Gott selber noch oben drein
durch's mächtige * Wort allmächtig wirke, in ihrem
angebornen Elend versunken bleibe, bittere Klagen an-
stimmen, und in dem schiefen Erfolg einen Beweis
für die Erbsünde finden !

Aber der aufgeklärte systemlose Beobachter, der
Menschenkenner und Psychologe wird sagen : darauf
habt ihr's angelegt ! Ihr hättet, wenn ihr alle
Ehrfurcht für Religion, alle Liebe für wahres Gebet,
alles eigne Nachdenken über christliche Wahrheiten ab-
sichtlich hättet verbannen wollen, nicht sichrer und
leichter zum Zwek kommen können — Ihr habt
Dummköpfe und Maschinen gewollt, und die habt
ihr ! — Unter hundert erwachsenen Menschen haben
kaum zween das Vermögen oder die Fertigkeit, zu
abstrahiren oder Abstraktionen anzuwenden, und unter
diese zween gehört gemeiniglich kein wirtembergischer

---

* Ein Ausdruck des wirtembergischen Liturgiebuchs, das erst
im vorigen Jahre neu und verbessert herausgekommen ist, und
wohl einer nähern Anzeige werth wäre.

D. E.

Ein andrer Wirtenberger, der aber wie der Verf. dieses Aufsatzes, längst schon in fremdem Erdreich wurzelt und also vor
dem Bannstrahl der Inquisitoren — frey und frank ist
wird im nächsten Band dieses Museums ein Wort darüber
reden.

D. H.

Schulmeister 1. Aber von Kindern fordert man dieß!
Keine Geschichte , als entweder die so oft misverstan-
dene so oft zweydeutige, und — schädliche alttesta-
mentliche fremder Gegenden , fremder Gebräuche,
fremder Sitten, oder die untestamentliche nicht Lebens-
sondern Wundergeschichte Jesu * wird ihnen aus
einem falschen Gesichtspunkt gezeigt — aber moralische Sentenzen, für Kinder durchaus keiner Erklärung
und keiner Anwendung fähig , oder Glaubenslehren,
die über die Begriffe selbst des geübtesten Denkers hinaus sind! — Und dabey keine liebreiche, gefällige,
freundliche Unterhaltung : Kein Anschaulich machen
durch Beyspiele und Erläuterungen', wodurch sich der ge-
faßte Begriff ohne Mühe — und unaustilgbar dem
Gedächtnis eindrücken würde — sondern Auswendig
lernen ; Auffagen , Zank und Zwang , und das
mürrische Gesicht des Schulmeisters, und die Ruthe,
an deren Stelle nicht setten auch die knochigte Faust des
Schul-Monarchen oder wenns gerade bey der Hand
liegt: — ein, in Eichenholz gebundenes Gesangbuch
tritt ; und diß Tag für Tag — Stunde für
Stunde, ** — O Menschheit! — es ist unge-

---

* D. H. Man entwickelt den Kindern nicht die Vorschriften
für ihr eigenes moralisches Verhalten, die drinn liegen , nicht
das Große, Edle, Schöne, Liebenswürdige in seinen Handlungen, und in seinem Charakter, sondern blos das Uebernä-
türliche, doch spekulative, das Dogmatische !

                             D. E.

** Wäre dieß noch das einzige, daß die Kinder nichts verstehen
lernten, oder daß sie nur in sofern Schaden hätten, insofern man
ihnen so ungerecht ihr Vergnügen raubt. — Aber wer kennt
nicht die Macht der Ideen-Assoziation in der ganzen thierischen

heuer, mit welcher Grausamkeit man uns armen Erd-
geschöpfen die einzige Zeit, wo wir unsere Freuden
unvermischt genießen könnten — die kostbare Tage
der Kindheit zu verbittern und zu verhunzen, die einzige Stüze, woran wir in den geheimsten und stärksten
Versuchungen zum Unrecht uns halten könnten, den
Gedanken an Gott, und den einzigen Trost, der zu
allen Verhältnißen und Zufällen uns erheitern sollte,
die Beziehung unsers ganzen gegenwärtigen Lebens
auf's zukünftige zu entreißen, und unbrauchbar zu
machen sucht! —

Auswendiglernen ist Christenthum! —
An den heiligsten — beruhigendsten Wahrheiten Ekel
und Ueberdrus bekommen, und bekommen müssen, auf
eine schiefe durchaus unrichtige Art sie ins Gedächtniß fassen, und fassen müssen, ist Christenthum —
— Was man mit Unwillen eingenommen hat, wiederkäuen müssen, wie eine ekelhafte Arztney — ist
Christenthum! An Töne ohne Sinn, an Zentner Lasten
für's Gedächtniß, während die andere Seelenkräfte das
Gewicht schon einer Flaumfeder drückt, sich gewöhnen

Welt, und beym Menschen in immer höherm Grade, je näher er noch an's Thier gränzt! Nicht der Unterricht allein
wird unangenehm, sondern auch der Gegenstand des Unterrichts; nicht das Auswendiglernen allein fürchtet und haßt
man, sondern auch, das, was man auswendig lernen soll! —
Und wenns noch am glücklichsten geht, so hat Gewohnheit
und Zwang die kräftigste Triebfedern unsers moralischen Ge-
fühls gelähmt: die erhabenste und wirksamste Ideen sind für
uns eine Sache des Gedächtnißes worden.

D. H.

müssen) ist Christenthum! Was hilft die gute Absicht, das Gegentheil zu bewirken, wenn die Erfahrung vieler Jahrhunderte, wenn die immer sich gleich bleibende Dummheit — Unwissenheit — Rohheit — Hartherzigkeit und Hartnäckigkeit des Pöbels — in dessen dunkles Gehirn — der schwache Strahl, welcher etwa von Licht unserer gegenwärtigen Aufklärung hinein fällt, höchstens so viel Hellen wirft, daß er begreifen lernet, zu was sein Zeremoniell von Religion, und sein Apparat von Abrakadabras — nicht nütze, ohne daß er nur ahnden könnte, wie unendlich eine Religion, die nicht blos Zeremoniell wäre, besser seyn könnte — Wenn alle Grundsätze der Seelenlehre und alle Erfahrungen der Menschenkunde darthun, daß diß der geradeste Weg sey, seinen ganzen Zweck vereitelt zu sehen!! Alles was uns alltäglich wird, macht auf uns keinen Eindruck mehr! — In welches Entzücken würden wir gerathen, wenn wir des Jahrs nur Einmal den gestirnten Himmel erblickten? — Und nun denken wir nicht mehr daran. — Aber laßt vollends einen Narren herkommen, der, um das Entzücken an seinem Anblick wieder aufzuwecken, uns zwingen wollte, Stundenlang unverrückt zu ihm empor zu schauen!! Daß empfindsame Knaben und Mädchens diß aus Krankheit und Astronomen nur des lieben Brods willen oder aus hellern Einsichten, Wahl und Uiberlegung thun, ist kein Einwurf!

Freylich die Erbsünde macht uns so träge zum Guten! deßwegen muß man uns keine Ruhe lassen! *) Aber

---

* Ich hab oben gesagt, daß man umkehren müsse. Man läßt uns keine Ruhe, deßwegen muß uns die Erbsünde träg machen.

D. C.

Beytrag

zu einem
schwäbischen Martyrologium.

Friedrich Schiller, der Verfasser der Schauspiele:
die Räuber, die Verschwöhrung des Fiesko, Kabale und Liebe war weiland Zögling der Karls Ho-
henschule in Stuttgardt, und nachher Arzt bey einem
wirtembergischen Feldregiment. Er schrieb die Räuber,
unstreitig das Genievollste seiner Schauspiele, bey
allen Auswüchsen einer luxuriosen Einbildungskraft, zu
einer Zeit, wo er zwischen den akademischen Pallisaden,
Welt und Menschen nur durch die Brille des Ideals
sah, sehen konnte und sehen durfte. — Er mußte also
— eine natürliche Folge seiner Erziehung — nach
Extremen hintaumeln, entweder Engel oder Teufel
mahlen, im Fach der Menschenkunde manchen unlogi-
kalischen Schlußsprung machen, und hie und da an
Klippen scheitern, denen ein Welt und Menschenkundiger
sehr leicht ausgewichen wäre. Die Räuber würckten
bey allen Verstößen dieser Art mit der Allgewalt des

<table><tr><td>I. B.</td><td>P</td><td>Genies</td></tr></table>

Genies von Stuttgardt bis — Graubündten. Eine
Stelle des dritten Auftrittes im zweyten Akt machte bey
einigen warmen Köpfen dieser Republik große Sen-
sation. Spiegelberg sagt daselbst: zu einem Spizbuben
will's Grüz — Auch gehört darzu ein eigenes
Nationalgenie, ein gewißes, daß ich so sage, Spizbuben Klima, und da rath ich dir: Reis du in's
„ Graubündtner Land, das ist das Athen der heuti-
„ gen Gauner! „ — Und diese Stelle kostete Sch. —
durch Kabale eines Manns, den wir bald näher kennen werden — Familie, Stellen, Vaterland. Die Sache war diese. Herr Wredow, Gouvernör einiger Herren von Salis aus Chur ließ zuerst in den Hamburger
Korrespondenten eine Apologie von Bündten gegen den
Verfaßer der Räuber einrücken, die hernach mit sehr
beißenden und — wenigsagenden Anmerckungen des
Herrn D. Amsteins im Sammler, einer in Chur
herauskommenden Wochenschrift wieder abgedruckt wurde. Herr Wredow ward zur Belohnung für seine, mit
vieler Delikateße und Mäßigung geschriebne Apologie
mit dem übrigens höchstunbedeutenden Bürgerrecht von
Bündten belohnt. Nun erhielt auch ein Korrespondent
der B. ökonomischen Gesellschaft in Stuttgardt den
Auftrag, Sch. zu einem Wiederruf jener harten Stelle
zu bewegen — und dieser Korrespondent war ein gewisser Garteninspektor Walter in Ludwigsburg. Dieß
zur Einleitung. Und nun soll Herr W. in eigener Person
erzälen, durch welche Schleichwege er einen der
größten Köpfe Wirtembergs seinem Vaterland und einer
edlen, liebenswürdigen Familie stahl. Seine Orginal-
briefe liegen vor mir. Ich schreibe sie bis auf die
Orthographie ab.

Ludwigsburg den 2 September 1782.

— — Der Comedienſchreiber (Schiller) iſt ein Zögling unſrer Akademie. Ich hatte nicht ſobald ihre Apologie vor Bündten geleſen, ſo machte ich ſo gleich Anſtalt, daß es auch mein Souverän *) bekam. Dieſer verabſcheute das Betragen ſehr, ließ ſolchen vor ſich ruffen, weſchte ſolchen über die Maſſen, bedeutete ihm bey der gröſten Ungnad, Niemals mehr weder Comedien noch ſonſt was zu ſchreiben! ſondern allein bey ſeiner Medizin zu bleiben. Hier hat es niemals Beyfall gefunden, deßwegen hat er ſolche vor die Mannheimer Bühne ſuchen einzurichten, hat aber zur Strafe ſchon damals 14 Tage im Arreſt ſizen müſſen.** Er kann zwar nicht läugnen, daß er einen Brief aus Bündten erhalten, ſchämet ſich aber, daß er ſo mit ſeinen Räubern angelauffen, ſo, daß weiter dermalen aus Ihme nichts heraus zubringen, und da Er nicht nur die Apologie ſelbſten zu leſen bekommen, ſondern Ich ſolche überall ausgebreitet, ſo weiß er, daß dieſes Ihm von Mir geſpielt worden, und ich muß alſo noch etwas warten, ehe ich eine weitere Erklärung bekommen kann.

P 2

---

* Wäre Herr Garteninſpektor Walter nicht — Herr Garteninſpektor Walter geweſen, ſo hätt' er dieſe Privatſache, als Privatſache behandelt, und Sch. wäre noch unſer! Aber der gute Mann wollte am Verfaſſer der Räuber zum Ritter, und wie wir hernach hören werden — Bündtnerbürger, Republikaner! werden — vermuthlich weil es nicht ahnete, daß ſeine Handlung von der Fackel der Publicität gelegentlich dürfte beleuchtet werden!

Der Einſender.

** Leider ſind alle dieſe Fakta nur allzuwahr. Kyrie Eleiſon!

Schiller muſte ſein Vaterland verlaſſen.
Ludwigsburg 7 Oktober 1782.

Mich freuet der Beyfall Ihres regierenden Bundshaupts. Mein Verfahren mit dem bekannten Comedienſchreiber hat noch die Satißfaktion vor Bündten vor etlichen Tagen ganz vollkommen gemacht. Der Verfaßer der Räuber hat ſich einfallen laßen (vielleicht Orginale wo / ander zu ſeinen Comedien zu ſuchen, weil es ihme ſo hart mit Bündten gieng) eine unbeſtimte Reiſe zu unternehmen, kurz zu ſagen, er iſt deſertirt und hat damit vollends jedermänniglich gezeigt, wer er iſt. * Ohngeachtet nicht das geringſte Intereße die Triebfeder dieſer Handlung war, da Ich mit Vergnügen gern Jedermann ſo viel meine Kräfte es zulaßen, dienen ſo machte mir es doch ein großes Vergnügen, wenn mich eine hochlöbliche Standes Verſammlung zu einem Bündner (Bürger) annehmen würde ! „

Selbſt in Bündten ärgerte man ſich über die Hirnloſigkeit des Korreſpondenten und bedauerte den Verfaßer der Räuber, Herr W. erhielt zur Ehre des Bündtnerſchen Freyſtaates das Bürgerrecht nicht; das Ende war folgendes: \

1783 den ¹⁰⁄₁₁ Merz.

Vor

Löblich großer Congreßualverſammlung wurde beliebt, wann durch ein Originalſchreiben, daſſenige, was der Herr Inſpektor Walter gemeldet haben ſoll, das in Betreff des Doctor Schillers als Authoren der Komedie wegen den Räubern * vorgegangen ſeyn ſolle, ſich beſteifen und erhärten würde, daß ſodann durch den Actuarium ebenfalls in einem höflichen Schreiben von Seiten des Standes dem Herrn Inſpektor Walter gedankt werden ſoll.

In fidem Hercules de Peſtalluz
Fædis Cathedis Cancells

---

* Das iſt verdollmetſchet: — des Doctor Schillers, als Autors des Schauſpiels: Die Räuber. D. E.
Der Verfaſſer dieſes Aufſatzes wird ſich nennen, ſobald es begehrt wird. Y. Z.

Beytrag

zur Kenntniß des Theatralgeschmaks in Schwaben.

Beytrag
zur Kenntniß des Theatralge-schmaks in Schwaben.

Regulus.

Ein Trauerspiel von der studierenden Jugend in der altkatholischen Römischen Reichsstadt Rottweil vorgestellt den 1. und 5ten Herbst-monat, 1785.

Innhalt.

Was bey dem rechtschaffenen Manne Eid, Ehre, Treue, Pflicht und Vaterlandsliebe vermag, das muß uns das alte Rom zeigen.

Von keinem Römer erlitt die Stadt Karthago mehrere Niederlagen, als von Attillus Regulus, bis er endlich von ihr gefangen wurde. Fünf Jahre lag er

in Ketten, als sich diese Stadt auf Friede zu denken
genöthiget fand. Diesen, oder wenigstens die Aus-
wechslung der Gefangenen suchte sie durch des Regulus Person selbsten, den sie als Gesandten nacher Rom
schickte, nachdem sie ihn durch einen Eid verbunden,
falls er nichts auswirken sollte, ins Gefängniß zurückzukommen.

Allein als Regulus zu Rom vor Rath erscheinen,
widerrieth er beydes, erfüllte zugleich seinen Eid, und
kehrte nacher Karthago zurück, wo er den grausamsten
Tod starkmüthigst ausstand.

Einen gleichen Helden stellt uns das Singspiel vor.
Er ist Junius Brutus, der erste römische Burger-
meister, welcher den lezten König Tarquin den stolzen,
von Rom verbannet, und die Stadt in die Freyheit
gesezt hatte. Seine zween Söhne aus Sehnsucht
nach der alten Bekanntschaft mit den königlichen Prinzen
spannen eine heimliche Verrätherey an, wobey sie sich
verabredeten, die Tarquiner bey der Nacht durch die
Thore einzulassen. Es bekam aber ihr Vater noch bey
Zeiten Luft davon, welcher ihnen sogleich den Untergang schwur und sie offentlich hinrichten ließ.

Die Musik hat verfertiget. Ornatiss. & Clariss.
D. Ios. Ant. Dimler, Medicæ Canditatus, Cantor
Rottwilæ.

Erster Theil.

Themis verklagt bey Brutus etliche römische
Söhne, daß sie bey stiller Nacht die Tarquiner
in die Stadt aufnehmen wollten.

Aria. 1

Dir grosser Held! sey Dank gesaget,
Der stolze Tarquin ist verjaget;
Die Freyheit keimet in der Stadt,
Wo sie dem Muth gestanzet hat.
Doch anders dachten diese Söhne;
Denn höre nur die feine Scene.

2.

Da deiner Arbeit erste Frucht
Rom freudig zu genießen sucht,
So stürmt die Wuth, will sie verschlingen,
Und uns aus unserm Sitz verdringen.
Die dunkle Nacht die war gewählt,
Und alles schon darzu bestellt,
Das Thor dem Feinde aufzusperren,
Die goldne Freyheit zu verstören.
Sprich! ist nicht dieß ein' Frevelthat
Die Fessel, Tod verdienet hat?

Zeige dich, Richter!
Richte die Bosheit!
Räche den Frevel!
Schrecke die Nachkunft!
Schütze die Freyheit!
Dieß, dieß bittet die Themis.

Brutus erstaunt, und schwört den Verräthern
den Untergang, unwissend, daß es seine
Söhne sind.

Aria.

1.

Wie? die Bursche, kanns ich glauben?
Wollten uns die Freyheit rauben,
   Die so viel gekostet hat?
Wenn ich dieß nicht wollte rächen,
Würd ich mir nicht widersprechen,
   Gieng nicht unter so der Staat?

2.

Rom selbst zeugt die junge Brut,
Die so schädlichs Gifft aushecket,
Sträubend so den Kopf aufrecket,
   Wenn ich will die Mutter retten
   Muß ich die Geburt nicht tödten?
Mich bestammt gerechte Wut.

3.

Helfet, Götter! schleudert Blitze,
Donnerkeile Zentnerschwer!
Läßt der strengsten Rache wüten,
Allen Kräften uns aufbiethen,
    Tilget mit vereinter Hitze,
Dieß verruchte Schlangenheer!
        Es sterbe,
        Verderbe!

Brutus fordert die Verbrecher vor sich. Themis
    führt ihm seine eigene Söhne vor.

Aria von 2.

Themis.

Hier siehst du die Verbrecher,
    Die dein Geschlecht entehrt,
    So treulos sich empört,
Beweis dich nun als Rächer!

Brutus

O mein Herz! — — —

Themis

Vergiß des Vaters Schmerz,
    Vollzieh des Richters Pflicht,
    Verschone nicht

Die Söhne entschuldigen sich bey ihrem Vater:
dieser wendet das Gesicht von ihnen ab.

Aria von 2.

Erster Sohn

Wie? Vater! wirf nur einen Blick
Auf deine Kinder her! erdrück'
Sie nicht in deinem Gram!

Zweyter Sohn.

Uns quälet
Ja mehr, als dich, der Unbedacht.

Erster Sohn.

Mit Tarquins Prinzen Spiele machen,
Mit ihnen spaßen, scherzen, lachen,
Das war das uns, verblendt gemacht.

Zweyter Sohn

Dieß laß uns doch so hart nicht büßen

Erster Sohn

Laß, Vater! dir die Hände küssen!

Zweyter Sohn.

Verzeih, daß wir so blind gefehlet

2.

Erster Sohn.

Fluch, Fluch sey jenem Freundschaftsband,
Der Sehnsucht nach dem alten Stand,
  Die unsre Jugend irre führte!
Wir rufen Zevs als Zeugen an.

Zweyter Sohn.

Du stößt uns immer doch zurücke,
Und wirfst auf uns ergrimmte Blicke!

Erster Sohn.

Wenn hat ein Vater dieß gethan?

Zweyter Sohn.

Wie kannst denn ganz dein Blut verschmähen?

Erster Sohn.

Und gilt kein Bitten, gilt kein Flehen,

Beyde Söhne.

So dir das Herz, o Vater rührte?

Unentschlossen, und voll des Unmuths schafft
  sie Brutus ins Gefängniß zurück.

Zweyter Theil.

Die Vaterliebe reget sich, Brutus bekämpft sie.

Aria.

1.

O harter Kampf! wie klemmst du mich!
Wie, o Natur, empörst du dich!
Gesetz! du heißt mich Söhne tödten,
Und, Liebe! du, du willst sie retten.
Du räthst: ich soll erweichlich seyn.
O welche Folter! welche Pein!

2.

Wie quälst du mich o Liebe!
O unaussprechliches Gefühl!
Ihr marternde, doch süße Triebe,
Ihr würgt und würgt mich ohne Ziel! —
Doch nein! du, Liebe! blendst mich nicht.
Mir sagt der Eid, mir ruft die Pflicht:
Bestreit den Vater, schone nicht!

Themis führt die Söhne gefesselt, so wie sie wirklich zum Tode bestimmt sind, wieder aus dem Gefängniße herbey. Brutus wirft ihnen sehr bitter ihr Verbrechen vor, und spricht über sie das Todsurtheil aus.

Aria von 4.

Beyde Söhne.

O Vater — Brutus. — Ungerathne Söhne!
O Vater welche bittre Töne!

Brutus.

O mich Erzeuger der Verräther!
Wie? — ihr — ihr habt vermessen —
    Der Pflicht vergessen — —

Themis.

Den Gräul des Meineids ausgeübt?
So sehr des Vaters Geist betrübt?

Brutus.

Unglücklich sind ja solche Väter.

Beyde Söhne.

O Vater! Brutus. Schweigt mir doch von
    diesem Namen!

<hr>

Erster Sohn.

Bekränke nicht so deinen Stammen!

Zweyter Sohn.

Verzeih der Jugend ihre Schuld!

Erster Sohn.

Erzeig' ihr doch des Vaters Huld!

Zweyter Sohn.

Die Treu, die wird sie nicht mehr brechen;
Sie schwörts dir hoch für allezeit.

Themis.

Des Meineids Frevel muß man rächen.

Beyde Söhne.

O Vater, o Barmherzigkeit!

Themis.

Das Amt des Richters sagt dir: nein.
Der Tod, der ist euch schon geschworen,
Der Eid, der muß erfüllet seyn.

Brutus.

Es seys! — der Stab, der ist gebrochen,

The=

Themis.

Und euch das Leben abgesprochen.

Beyde Söhne.

O Himmel sind wir denn verlohren?

Themis ist beschäftiget die beyden Söhne
zum Tode zu bereiten: diese ergeben sich,
erkennen den Fehler, und sterben, da
sie sich zuvor noch bey ihrem Vater beur-
lauben.

Aria von z.

Erster Sohn.

Nur noch den letzten Abschiedskuß!

Brutus.

O daß ich euch den geben muß.

Zweyter Sohn.

Verzeih doch Vater! unser Leben.

Erster Sohn.

Für welches wir das Blut dargeben.

Zweyter Sohn.

Wir sind gefaßt zu deinem Schluß.
Nur noch den letzten Abschiedskuß!

2. B.   Q

Brutus.

O daß ich euch den geben muß!

Beyde Söhne

O Vater, lebe wohl!

Brutus.

Ja Söhne, lebet ewig wohl!

Man ersucht abermal die Zuschauer, ihre Sitze selbst mitzubringen, auch wegen erheblichen Ursachen in Zukunft außer dem Theater zum Zuschauen ihre Plätze zu wählen.

Berichtigungen und Zusäze

Den Aufsaz im grauen Ungeheuer Nummer 9.
Ueber das theologische Stift in Tübingen
betreffend.

Berichtigungen und Zusätze

Den Aufsatz im grauen Ungeheuer Nummer 9. Ueber das theologische Stift in Tübingen betreffend.

Dieser Aufsatz an sich ist freylich nichts mehr, als ein Pamphlet. Ein Bisgen Perfiflage auf das theologische Kadetten-Korps und eine lustige Stunde für seine Leser auf jener Unkosten, mehr war wohl nicht die Absicht des Herausgebers. Es ist ihm schwerlich drum zu thun gewesen, Wahrheiten zu sagen, und auch die wenigste seiner Leser werden, Wahrheit in diesem barlesken Gemälde vermuthen. Und aus diesem Grunde vermuthlich finden die Herren, die sich allenfalls dadurch getroffen fühlen könnten, für räthlicher eine großmüthige Verachtung zu erkünstln, als durch Geschrey zu erkennen zu geben, daß sie — getroffen seyen. Bey all dem wird in den Tübinger Gelehrten Anzeigen kein Rezensent mehr sagen: „daß „er dem grauen Ungeheuer so sehr es Ungeheuer sey „von Herzen gut sey.“

In der That hat Herr Wekhrlin durch den Ton, den er angenommen, durch die Uebertreibungen, die er sich erlaubt, und durch die Absicht, alles in's Lächerliche zu stellen, die er nirgends vergeßen hat, die Wirkung seines Aufsatzes selber vereitelt.

Niemand, wenigstens im Ausland, wird glauben, daß er so viel Wahrheit enthalte, als er enthält. Denn gerade so, wie es hier geschildert wird, war der Zustand des Stifts vor zwanzig und dreyßig Jahren. * Aus diesem Grunde bin ich geneigt zu glauben, daß der Herausgeber selbst Verfaßer dieses Aufsatzes sey, und nicht bloß einen fremden in seine Form umgegoßen habe: denn Herr W. ist ein Würtemberger, und gerade damals war es, als er Gelegenheit hatte, die Einrichtung des Stifts anschaulich kennen zu lernen. Aber eben deßwegen bedörfen

---

*) Damals saß Pietisterey auf dem Thron der würtembergischen Hierarchie. Wer nicht dieses Zeichen an seiner Stirne trug, der war in Gefahr größerer Verfolgung, als nach der Apocalypse, denen bevorsteht oder wiederfahren ist (denn hierüber ist man noch nicht einig) welche das Zeichen des Thiers nicht an der Stirne tragen werden, oder trugen.

Es kam eine Kommißion in's Stift um das Unkraut vom Waitzen zu sondern; Ist ja's der Israel verwirret? — War die Anrede des Dir... F... an den ersten Superattendenten. D. Cotta.

Einige der besten Köpfe, z. B. der berühmte D. Cloß im Haag wurde hinausgeworfen, und ein ganzes Jahrzehend hindurch, brütete der Geist ohne furchtbaren Unthätigkeit in den freudenlosen, von Litaneyen und Zungen=Geschrey der wiedertönenden Mauern. D. C.

stine Nachrichten mancher Berichtigung und ich fühle mich gedrungen, vorläufig zur Kenntniß des gegenwärtigen Zustands dieser merkwürdigen Anstalt etwas beyzutragen.

Ich werde mich auf Thatsachen beziehen, für deren Richtigkeit mir immer 150 Stimmen borgen werden, wenn etwa drey oder vier dagegen schreyn. Freilich wer in den Akten dieses Instituts wühlen, wer die Inquisitions-Protocollen eines Cloß, eines Guoth, eines S.* und die Kommißions-Nachrichten von 1755, 1777. die bevorstehende nicht ausgenommen, ans Licht bringen könnte, der würde die Welt mit Anekdoten beschenken, worüber man erstaunen würde. Es gibt wohl wenige Länder, wo man so sehr gegen Publizität eingenommen wäre, wie Wirtemberg. Und in der That haben uns Schlözers Staatsanzeigen kaum eine Nachricht aus diesem an Weisheit und Thorheit so reichen Lande geliefert. Gödingks sehr behutsame Einwendungen gegen die hohe Karls-Schule.** hat

Q 4

*) Eine fürchterliche Geschichte trug sich vor ungefehr 18 Jahren in Denkendorf (einer der niedern Klosterschulen) zu. Vier Zöglinge dort, in einem Alter von 15 Jahren begiengen die Kinderey, das Christophs-Gebet zu beten, und wie man erzehlt, es sogar unter den Altar zu legen. Sie wurden, wie Verbrecher gefangen genommen, und in's Karzer gelegt. Ihre Vorgesezte behandelten diesen Unsinn wie Zauberey und Gotteslästerung. Nachdem sie länger, als 3 Wochen unter Todesangst im Karzern zugebracht hatten, wurden sie relizirt d. h. mit Schimpf und Schande aus dem Kloster geworfen. D. C.

**) Von der wir nächstens auch ein Wort sprechen werden. d. H.

ein pöbelhafter Vertheidiger mit einer Bombe beant-
wortet, und die zwo Linien, die der unglückliche Hart-
man vom Stift in seinem Sophron schrieb — hat
man wie Staatsverbrechen angesehen.   Ich will nicht
entscheiden, ob diese Trägheit: den Zustand seines Vaterlands der Welt vor Augen zu legen, mehr für seine
glückliche, oder diese lichtscheue Furchtsamkeit: ihn
vor Augen legen zu lassen, mehr für seine unglückliche
Verfassung beweise? Wir haben so viele Einrichtungen,
die vortreflich und nachahmenswürdig sind: oder
noch mehr haben wir, die vortreflich und nachahmenswürdig seyn könnten, und wozu es vielleicht nur
einer Wendung von der Hand eines uneigennü-
zigen, vorurtheilfreien und einsichtsvollen Mannes bedürfte; unter diese gehört das theologische
Stift in T.   Und warum soll dann dem Manne, dem
das Glück seines Vaterlands am Herzen liegt, nicht
erlaubt seyn — seine Wünsche — seine Vorschläge, seine Bemerkungen zu sagen? Dieses Uhrwerk ist
seiner Anlage nach vortreflich.   Aber die Zeit hat einige
Zähne am Rad abgenuzt: diese Feder ist durch eine
plumpe Hand in eine schiefe Lage gekommen. — Jene
Kette muß ausgebessert werden — oder sie springt!
Wer wird's dem Künstler verdenken, der so spricht?
Und wenn er nun vollends nur behauptete: diese Ver-
zierungen sind gothisch. — Dieses Blumwerk ist
elend und geschmacklos — Ihr könnt es verbeßern,
ohne das Wesen des ganzen Werks zu ändern! —
Wer möchte gern der Dummkopf seyn, und ihn einer
Vermessenheit, einer Mißgunst — einer Lästerung
beschuldigen? ? ?

Das ist ohngefehr der Fall mit dem, was ich über
das theologische Stift zu sagen habe. Das Herz
blutet dem Manne, dem sein Vaterland lieb ist, wenn
er sieht, was diese in ihrer Art einzige Anstalt seyn
könnte und was sie ist! Wie durch sie, die Vorbe-
reitungs = Anstalten dazu genommen, beynahe von der
ersten Kindheit an, Männer gebildet werden könnten,
ganz für ihren Zweck, Lehrer des Volks durch ihre
Kenntniße, und seine Muster durch ihre Sitten; durch
das Band gemeinschaftlicher Lebensart gemeinschaftlichen Unterrichts; gemeinschaftlichen Vergnügungen *
gemeinschaftlicher Bestimmung vereinigt — und nun
mit gleicher Aufklärung — gleicher Vaterlands = Liebe
auf den nemlichen Zweck loßarbeitend — ohne
Furcht bey jedem Schritt verdammt, verlästert, ver-
lezert zu werden, und wie sicher zu seyn, als beym
alten Schlendrian : Wie sie dieß alles werden könnten — und wie sie nun biß alles nicht werden —
sondern in öden dumpfen Kerkern — erst der Land-
dann der Kloster = Schulen — dann des Stifts
die Jahre vertrauren, welche der Schöpfer für sorg-
lose Freude bestimmt hat! Mit unnützen philologi-
schem, philosophischem und theologischem Wörterkram
ihr Gedächtniß martern — und immer nur mit Furcht
und Zittern — und niemals mit Liebe zu Zutrauen
ihrem Herrn dienen; und dadurch — wenn sie auch
glücklich genug sind — den beynahe unvermeidlichen
Gefahren der Liederlichkeit, der Niederträchtigkeit und
der untheilnehmendsten Unthätigkeit zu entgehen, doch

---

*) Nicht gemeinschaftlichen Druck und Kleider. D. H.

für ihre ganze Denkungs = und Handlungsart eine
schiefe Richtung davon tragen, die ihnen nachher abzulegen höchst schwer und zuweilen unmöglich wird.

Jezt ist die Zeit, wo man reden muß.

Andere Länder und ihre Patrioten entdecken ihre Ge-
brechen, und suchen ihnen abzuhelfen. Warum sollten
wir die lezten seyn?

Und gerade die gegenwärtige Verfassung des Stifts,
die allgemeine Unzufriedenheit der Stipendiaten —
mit ihrer Lage und die allgemeine Unzufriedenheit des
ganzen Landes beynahe mit ihnen — die Klage der
Vorgesezten — die Bemühungen: durch Strenge wieder Ordnung herzustellen und die Erwartung einer
Commission, welche die Sachen durchaus verbeßern soll,
der unbegreifliche Contrast zwischen der freyen, beynahe
ausgelassenen Denkungsart — die im Stift herrscht
und in einigen Punkten so gar begünstigt wird, und
der höchst selavischen Behandlungsart, der man unterworfen ist — Alles dieses läßt den Denker eine
Revolution ahnden, die beynahe unvermeidlich ist —
Und eben deßwegen habe ich den Aufsaz im grauen
Ungeheuer, zum Texte gewählt, den ich nun ein
wenig commentiren will, weil er der erste ist, der
gerade jezt die Sache öffentlich zur Sprache gebracht hat; diß ist immer wahres Verdienst, und
manches unter jenen „absurden — steifen und
bißigen Dingen", denen es in der Seele wehe thut,
daß sie es seyn müßen, wird ihm öffentlich und
heimlich seinen Beyfall zujauchzen. Nun zur Sache:

„Wirtemberg ist das Reich der Magister und der
Schreiber sagt Anselmus, der sablose. Bei meiner

jüngsthin durch dieses schöne Land gemachten Reise
nahm ich Gelegenheit, diesen trolligten Einfall jenes
berufenen Schriftstellers zu prüfen.

Was ist ein Magister? möchte man mich erstlich
mit Recht fragen. Ein Geschöpf in schwarzes
Tuch gekleidet, mit rund verschnittenen Haaren, einem
Mantel und Halskrägchen: ein Mensch, der sich auf
der theologischen Laufbahn bis an die Kirchthür-
schwelle hinaufgebracht: kurz, ein Meister der freien
Künste; das ist, ein Wesen dem Thon Japet's ähnlich,
in das ihr drucken könnet, was ihr wollt, einen Vikar,
einen Hofmeister, einen Pfarrer, einen Professor, einen
Feldprediger oder einen Diakon.

Dieses Wesen ist eigentlich zu Tübingen einheimisch.
Hier wohnt es bey Vierthalbhunderten in einem alten,
schwarzen, verrauchten Bau beisammen, den man das
Stift nennt. Man findet es aber auch einzeln auf
dem Lande und sogar in Städten.

Solang es in seinem Neste verschlossen ist, so ist es
das absurdeste, steifeste und bissigste Ding. Drei Pedanten, unter dem Namen Professorn, füttern, wai-
den und gängeln es. Wenn es aber Luft kriegt:
so verwandelt sichs zuweilen in ein liebenswürdiges
Wesen, und moquirt sich über seine ehemaligen Zuchtvögte.

Um Magister zu werden, muß man erstlich die niedern
Kollegien durchgangen haben, die Seminarien auf
dem Lande, oder die Klöster, wie man sie von ihrem

alten Ursprunge her nennt. Alsdann kömmt man ins große Seminar nach Tübingen. Hier wird ergotirt, disputirt und sich ennuirt bis zur Zeit der Erlösung.

Man predigt beim Frühestück, beym Mittagessen, beym Soupee, und der Abend wird mit Kritiken über die Predigten, die den Tag über gehalten wurden, zugebracht. Nichts was weltlich ist, was den Genuß des Lebens fühlbar, und feine runde Menschen machen könnte, darf sich dieser fürchterlichen Burg nähern. Hier sind die schönen Künste wie exotische Pflanzen.

Singen, Predigen und Theses aufreihen, diß ist das Leben eines Magisters. Zur schönsten Blüthezeit des Genie hat er kein anderes Objekt vor sich, als die Bibel und die Giftsregel. Würde er auf einem Vers, auf einer Opernarie, auf einer Zeichnung betretten: so wäre er verlohren. Man hat Beyspiele, daß ein Magister wegen einem Madrigal zur Kirchenbusse verdammt, und ein anderer mit den schönsten Talenten relegirt wurde, weil er sich beim Edelmann, dem mattesten und ungefährlichsten aller Freygeister, überraschen ließ.

Die Heerde ist an die genaueste Diät, und an eine noch genauere Toilette gebunden. Wenn es einem Meister einfiel, sich à la Marlborough zu coeffiren, oder statt der runden Schuhschnalle eine à la frontin zu tragen: so wäre er in Gefahr für einen Socinianer erklärt zu werden; denn alles was nicht Tübingisch ist, das ist socinianisch.

Noch schlimmer wär es, wenn man ein Blatt von
Voltaire innerhalb den Mauren des Stifts entdeckte.
Die Grundvesten des Stifts würden darüber erbeben.
Wehe dem Unglücklichen, bei dem es gefunden würde!
Er würde in Inquisition kommen, als wenn er das
ganze Stift hätte anzünden wollen. Die Professoren
würden Predigten halten, welche die Nachtmalspredigt
zu Zürch beschämen würden, und die Geschichte würde
länger, als vier Wochen die einige Materie der Gesellschaften und der Zeitungen in den Pfarrhäusern, auf
dem Land und an den Tafeln der Consistorialräthe
seyn.

Die Pflanzschule der Magister ist also das Stift:
ein Ort, wo man ewig Bibel liest, auslegt, predigt
und den ganzen Wirrwarr der Theologie durchpeitscht.
So lang die Meister im Stift sind, so können sie
folglich nichts Vernünftiges denken, ihr Geist wird im
dichtesten Schulstaube erstickt. Auch kennt man sehr
Wenige, die zu brauchbaren Menschen worden sind.

Seit der Reformation, das ist, ungefähr seit der Entstehung des Stifts nimmt man 5000 Köpfe an, die
darinn aufwuchsen. Unter diesen sind kaum zwölf,
die ihren Namen über die Gränzsteine ihres Vaterlands
hinaus verbreitet haben: Bilfinger, Gesner, Plouc-
quet, Reuß, le Bret, Fulde, Zahn, Schubart,
Pfleiderer, Sprenger, Spittler, Baron Zolland.
Und noch bin ich nicht ganz gewiß, ob alle Hiercitirten
Stiftsbürger waren, so sehr sie Wirtemberger sind.

Allein diese unfreiwilligen Anachoreten warten nun
biß sie den Riegeln des Stifts entwischt sind, um sich

zuweilen in die geistvollesten und liebenswürdigsten Männern zu verwandeln. Ihr gepreßter Geist öfnet sich plötzlich, und, über seine Freyheit entzückt, umfaßt er den ersten Gegenstand, der ihn anzieht, mit desto mehr Wärme. So thut er manchmal Wunder, die er auf der pedantischen Bahn der Methode nie angetroffen hätte.

Daher die geschickten Kinderlehrer, die raren Litteratoren, die würdigen Land = Pfarrer, die unterrichteten Wirthe, die man häufig unter der Geistlichkeit in Wirtemberg findet, und worinn dieses Land mit jedem andern wetteifern darf *).

So steif die Studenten im Wirtembergischen sind: so fallen sie doch nicht in das Lächerliche ihrer Gegner, der Jesuitenschüler, sich Rhetores, Poetas, Philosophos zu nennen. Sie begnügen sich glattweg mit dem Titel Studiosus **).

---

*) Hier ist mein Freiheitsbrief, warum ich dieses Stück aufgenommen habe. Ich würde sehr mißvergnügt seyn, wenn mir ein Anderer die Ehre geraubt hätte, Ruhm meines Vaterlands auszubreiten.

Das Ungeheuer.

**) Nichts auf der Welt ist komischer, als sich auf einer Arena, wo ein Schwarm katholischer Schüler, vor oder nach der Schule, sich mit Kegelschieben, Ballschlagen, Blindekuhspielen ꝛc. ꝛc. belustigt, zu sehen. Fragt man nun Einen oder den Andern: in welcher Classe sind Sie? — Rhetor — Und Sie? — Philosophus. Und wenn man eine Stunde hernach diese Demosthene und Platone mit dem Esel auf der Brust an der Schulpforte stehen sieht!

Note des Originals.

Nichts iſt grauſamer, als die Examina, die ſie durch=
laufen müſſen. Ihre Zahl iſt unendlich. Erſtlich
wöchentlich vor den Repetenten, einer Art Unterpedan=
ten; hernach vierteljährig vor den Doktoren, endlich
vor dem Conſiſtorium. Dieſes iſt das furchtbare Tri=
bunal, welches ihr Schickſal beſtimmt, welches über
die Orthodoxie in Wirtemberg und über das berühmte
Muſter der Einförmigkeit (Formula concordiæ)—
das iſt, wie Fauſtin ſagt, darüber wacht, daß die
Geiſtlichkeit nicht klüger werde.

Ich erkundigte mich, ob der Hofprediger Maurizii
zu Karlsruhe, von dem wir das ſchöne Pfaffenſtückchen
haben, welches das Journal in und für Deutſch=
land verewigt *), nicht ein Zögling des Stifts ſey;

---

*) Als der jüngſthin zum allgemeinen Jubel des Hofs und
des Lands gebohrne Prinz von Baden zur Taufe gebracht
wurde: ſo gaben die Imane zu Karlsruhe Predigten. Iman
Maurizii ſchloß die ſeinige mit dieſer Kapuzinade „Unſere
Nachläßigkeit in Beſuchung des Gottesdienſts hätte freilich
verdient, daß du, o Gott, das ganze fürſtliche Haus hätteſt
ausſterben laſſen." (Journal in und für Deutſchland. 1784.
10. Stück. S. 285.) Es giebt Stellen in der Logik ge=
wiſſer Leute, die man nicht zu viel wiederholen, an die
man das Publikum nicht oft genug erinnern kann.

Note des Originals.

Eine ſolche Sottiſe ins Angeſicht des Regenten und des
Hofs! Eine ſolche Blasphemie am ſegenvolleſten und feſtlich=
ſten Tage des Landes! Wie bigot müſſen jene Länder noch ſeyn!
Wie, wenn man nicht alles liegen läßt, um den Paraden
eines ſelbſtſüchtigen Pfaffen nachzulaufen, ſo iſt der Himmel
verbunden, Feuer und Schwefel regnen zu laſſen? Um den

denn es scheint unmöglich zu seyn, daß nicht die Göze, die Westhofe, die Teller, die Lavater, die Pfenniger und alle mögliche Schwärmer, Kezerhämmer und Nebelköpfe von Tübingen herstammen.

Wie

Hochmut eines aufgeblasenen Theologen zu rächen, muß er dem Lande einen erseufzteten Erben, seine einige Hofnung, seine wärmsten Wünsche entziehen? Wäre die Phrase Imans Maurizii zur Stunde, die es schlägt, nicht noch lächerlicher als sie unverschämt ist: so verdient er..... Vous m' entendes bien.

Zusaz des Ungeheu'rs.

Berichtigung dieser Note, aus D. Posselts wissenschaftlichen Magazin für Aufklärung.

In Herrn Goekingk's Journal von und für Teutschland stehet bey Erwähnung der Geburt des, leider! zu früh wieder gestorbenen Markgräflich = Badischen Landprinzen Karl Friedrichs die Anekdote: daß Herr Kirchenrath und Hofprediger Maurizii zu Karlsruhe, in seiner bey diesem Anlas gehaltenen feierlichen Rede am Schluß unter andern gesagt habe.

„Unsere Nachläßigkeit in Besuchung des öfentlichen Got-„tesdienstes hatte freilich verdient, daß du o Gott, daß „ganze fürstliche Haus hättest sollen aussterben lassen."

Da nun diese durch mehrere Nebenumstände und den ganzen Ton der Erzählung äußerst hämisch abgestuzte Worte, weder damals von irgend einem aus der zahlreichen Versammlung gehört, noch auch jetzt sich derselben erinnert wird, und sie überhaupt auch dem Charakter dieses würdigen Manns ganz und gar widersprechen; so ist es Pflicht, das Publikum hievon zu benachrichtigen und den Herrn Herausgeber jenes Journals, der durch ganz Deutschland den Ruhm

Wie sollte ein Mensch, dem man die Hälfte seines Lebens hindurch vorsagt, daß das Studium theologicum der vornehmste unter allen menschlichen Berufen, daß der Stand der Geistlichkeit von Gott eingesezt, und der erhabenste in der Gesellschaft sey, daß die Säze der Theologie über alle Einwendung erhaben, und daß es nichts Wahres, nichts Schönes, nichts Großes gebe, als die Polemik, die Homiletik, die Dogmatik, die Symbolik u. s. w. daß alles übrige Wissen leere Schellen und Menschentand wäre; nicht ein steifsinniges, bigotes, selbstsüchtiges und unverträgliches Geschöpf werden *).

---

eines gerechtigkeitliebenden Mannes hat, auch zu fordern, den Einsender jener falschen Anekdote, der den ihm beygemessenen Glauben mißbraucht hat, bekannt zu machen. Und diß desto eher, weil die Sage schon Anlaß zu bittern Spöttereyen gegeben, und durch den Druk immer weiter verbreitet wird, wie das neunte Stück des grauen Ungeheuers von H. Wekhrlin bezeugt, der diese Anekdote als wahr annimmt.

Wir sind von des leztern Gerechtigkeitsliebe überzeugt, daß er wiederrufen werde.

Wir hielten es für Pflicht, auch hier diese Anekdote zu berichtigen. d. H.

*) Zu Tübingen hat die theologische Fakultät, so wie auf den meisten übrigen Musenschulen, inconsequenterweis noch den ersten Rang unter den Fakultäten. Warum? Das ist sehr problematisch. Wie soll man den Rang der Wissenschaften prüfen? Nach ihrer Evidenz? — Und denn die

Inzwischen ist diß nicht immer der Karakter der Magister. Im Gegentheil, sobald sie in die Welt retten: so ist das Erste, daß sie den Schulstaub ab-schütteln. Alsdenn chauffiren sie sich, pudern sich, und aus düstern Unkenpunzen verwandeln sie sich in Mäd-chenbändiger und Pflastertreter. Zwar verfolgt sie das Aug der unerbittlichen Kirchencensur bis an die Nacht-tische der schönen Welt: allein unter dem Privilegi-um, daß sie sich um eine Parthie bewerben müssen, geht Manches hin, denn Dienst und Weib sind zwey Dinge, die nach der Magisterregel immer zusammtref-fen müssen.

Soviel von den Magistern.

Was ist ein Magister? Fragt H. W. — Ich will vorher eine andre Frage kurz beantworten: Was ist ein Magister gewesen, eh' er Magister wird? Um Magister zu werden, ist man verdammt, vom sechs-ten Jahr an von einem lateinischen Präzeptor * durch

---

Theologie oder! — Nach ihrem Nutzen? Nach ihrer Be-völkerung? In keinem Fall scheint die Eine mehr Ansprüche als die Andere zu haben; und in allen scheint der Vorrang der philosophischen zuzukommen.

Anmerk. d. Ungeheur's.

*) Die Präzeptorate werden der Regel nach mit einer Abart von Zöglingen des Stifts, den Famuln (s. unten) zuweilen auch mit Stipendiaten besezt, denen die Schäfer-stunde zu frühe geschlagen hat, oder die sich durch andre Ex-zesse von Bedeutung die Thüre zum geistlichen Schäfstall verrammelt haben. Die Ernennung der meisten gehört dem

die doppelte Portion von Schimpfnamen, Maulschellen, Stockstreichen und Ruthenhieben sich das Latein, nebst einem bißchen Hebräisch, Griechisch, und dem hebräischen Alphabeth, die arabische Definitionen aus der Logik und Rhetorik nicht zu vergessen, einprägen zu laßen, während ein anderer mit der einfachen davonkömt. Aber dieß ist das Schlimmste noch nicht! Nun dencke man sich vier Mönchsklöster, mit der furchtbaren Aussicht an dichte Wälder und kahle Felsenwände, die über sie hereinzustürzen drohen *), noch in dem Zustand, wie man sie bey der heilsamen Reformation oder nach dem westphälischen Frieden antrat. Dicke Mauern, enge, traurige, feuchte Zellen für den Sommer, und für den Winter zwo bis drey sogenannte Winterstuben, d. h. zehn Fuß lange und zehn Fuß breite Winkel, wo ihrer zehn bis zwölf auf einander gepfropft sind. In diesen Mauern, wie in einem Kerker verschloßen, ohn' Erlaubniß, freye Luft zu schöpfen, oder einen Fuß hinauszuwagen, als etwa

R 2

Konsistorium, hin und wieder den Städten. Jenes scheint sich doch seit einiger Zeit den sehr lobenswürdigen Grundsatz gemacht zu haben, Männer von Kenntnißen und Talenten an solche Stellen zu setzen. Nur ist der meistens geringe Ertrag der Stellen bey so verdrüßlichen und gehäuften Arbeiten ein mächtiges Hinderniß.

*) Denkendorf allein macht Ausnahme. Es liegt mitten im Lande, und man hat vom Kloster die Aussicht in ein artiges Thal. Die drey andre niedre Klöster sind: Blaubeuren, Bebenhausen und Maulbron.

eine Stunde des Tags *), und im Sommer etwa
noch eine Stunde drüber, wovon aber, wie billig,
Sonnabend und Sonntag ausgenommen sind, dieser,
weil er der christliche, jener weil er der jüdische Sab-
bath ist **). In diesen Kerkern eingeschloßen denke
man sich, in jedem zwanzig bis fünf und zwanzig vierzehn bis achtzehnjährige Knaben, denen der Regel nach
so wenig, als den Kapuzinern erlaubt ist, den ganzen
lieben langen Tag über ihre schwarze grobe Kutten

---

*) Dieß ist die Mittagsstunde von 12 bis 1 Uhr selbst am
schwülsten Sommertag. In einigen Klöstern ist diese Erlaubniß nur auf gewiße Tage eingeschränkt, und die lachendsten
Frühlingstage müßen die Unglücklichen auf ihrem öden
Dormente vertrauern, wo ihnen der Anblick des Himmels
und der Sonne geraubt ist. Eine Deputation vom herzoglichen Consistorium hat in diesem Sommer die Klöster
Blaubeuern (wo die unglaublichste Pedanterey ihren Stab
am furchtbarsten schwang) Denkendorf und Bebenhausen
besucht, und man hat Hofnung, daß einigen der auffallendsten
Sünden gegen Menschenrecht und Menschenverstand werde
gesteuert werden. Von Blaubeuern wenigstens weiß man,
daß den armen Kindern ihre Bande durch diese Visitation
ein klein wenig gelüftet worden sind, wiewohl man behauptet, mit Widerspruch der theologischen Parthey.

**) Man kann freylich sagen, Sonntags behalte man die
Jungen zu Hause, um Collisionen mit Bauerkerln und
Bauerdirnen zu vermeiden, die an diesem Tage auch spazie-
ren gehn. — Aber warum der Sonnabend? — Und
wessen Schuld ist die niedrige Denkungsart dieser Unmün-
digen, von der man Dinge dieser Art fürchten muß? Doch
wohl der Vormünder, die statt ihre Zöglinge auf die Spa-
ziergänge zu begleiten und den geliebten Vater unter guten

abzulegen a.), die man Mittags mit Rindfleisch und

R 3

Kindern zu machen, sich in ihren Büchern vergraben, oder die Zähne stochern. Gar sonderbar ist die Art, wie der der Sonntag gefeyert wird. Vor allen Dingen dreymal in die Kirche: dann Bibellesen und Bibellesen ohne Aufhören, und zwar den Statuten zufolge nicht im Grundtert, weil es dadurch schon zu einer Art von profanem Studium würde, sondern in Luthers Uebersetzung, und dann Singen und Beten ohn' Ende. Wer Sonntags bey dem unschuldigsten Erholungsspiel betroffen würde, würd' in den Bann gethan werden. Einer der Alumnen wurde einst über Klopstocks Messiade überrascht — das ist kein Buch für den Sonntag, sagte der Professor! Hätte er endlich gesagt, das ist kein Buch für einen vierzehnjährigen Knaben, so hätte er Recht gehabt.

a) Ich bitte meine auswärtige Leser zu glauben, daß ich nicht übertreibe, und wenn ihnen manches noch so unglaublich scheinen sollte — daß dieß in Blaubeuren und Denkendorf von den Prälaten gefordert wird, ist Faktum. — In den zwey höhern Klöstern, besonders in Maulbronn denkt man ein wenig vernünftiger. Dafür ist aber auch dieses in einem nicht unverdienten Ruf, daß die Zöglinge dort ausgelassener und zügelloser seyen als anderswo. Dies kommt daher, weil man dort nur connivirt, was man doch frank und frey erlauben sollte, und dann genöthigt ist, schädliche Ausschweifungen eben so zu toleriren, als unschädliche Uebertretungen veralteter Mönchsregeln, besonders aber von einer unglücklichen Eifersucht der Vorgesezten, die in diesem Kloster wenigstens sichtbarer ist, als in andern. Bey all dem ist die Frage: Welches Uebel größer sey: Impertinenz und Ausgelassenheit hier, oder Heucheley und Niederträchtigkeit dort, von der Art, daß sie a priori und a posteriori immer zum Vortheil Maulbronns würde müssen entschieden werden.

Abends mit Gerste füttert (denn die meistens ungenießbaren Suppen und Gemüse sind nicht zu rechnen b) und die verdammt sind, Morgens und Abends eine lateinische, beym Essen wohl gar eine griechische Litaney herzubeten, und jede Mahlzeit durch halbstündiges Singen eines lateinischen Mönchsgesangs und eines unverständlichen Kirchenliebs und durch Kapitelanhören aus dem Büchlein Ruth und den Büchern der Chronika nebst einem Gebet aus des frommen Arndts mystisch verliebtem, für solches Alter und seine erwachende Triebe gar paßenden Paradießgärtlein, erst sauer zu verdienen; die übrigens Logicam et Rhetoricam nach Schellenbauers und Kaldenbachs in jeder Rücksicht obskuren Kompendien, historiam universalem et particularem nach Essichs Einleitung zur Weltgeschichte

---

b) Die Kost bestehet für jeden Mittag in Suppe, einem Gemüse und Rindfleisch. Abends Suppe, Gerste und Rindfleisch; Donnerstags und Sonntags ausgenommen (wo man gebratnes Kalbfleisch oder Hammelfleisch speist:) nebst einem Schoppen Wein, wenn der arme Alumnus desselben nicht gewürt wird, welches aber in den niedern Klöstern nur bey Halsverbrechen geschieht, als da ist: ohne Erlaubniß eine Semmel laufen, eine Henne todt werfen, oder dem Prälaten queer über den Weg laufen. Die Vorgesezte haben für gewönlich so viel mit der Geistesnahrung ihrer Zöglinge zu thun, daß ihnen keine Zeit mehr übrig bleibe, auch für ihre leibliche, wie sichs gebührt, besorgt zu seyn. In jedem Kloster ist ein Speißemeister, welcher das Privilegium hat, ranzige Butter für frische, und verdorbenes Fleisch für gutes den Kadetten des Kirchencorps aufzutischen, unerachtet der Herzog immer so viel verschießt, daß man eine recht gute Kost dafür reichen könnte.

hören, den Ciceronem et Virgilium exponiren, exercitia stili hebdomadaria & extemporanea componiren, auch griechisch, hebräisch und lateinische Verse machen; die ohn' allen Umgang, der ihre Neigungen veredeln und ihre Sitten verbessern könnte, ohne alle Anleitung zu guter Lebensart auf ihrem, die Rekreationsstunden nach den Mahlzeiten ausgenommen, beständig verschloßnen Dorment (so heißt der Gang, wo sich auf beyden Seiten die Zellen befinden) sich selbst überlaßen, Büberey und Unfug treiben *) oder mit Furcht und

N 4

---

*) An den meisten Tagen sind zwar die Stunden mit Lektionen besezt, und an den Tagen, die davon frey sind, visitirt gewöhnlich der Professor. — aber in den Freistunden hängt man, Winters vorzüglich, von jedem ungeschliffenen Jungen, der selbst nicht studirt, und andre schikaniren will, ab, und die Stunden, wo der Professor kommt, weiß man, und sieht sich vor. — Studiren ist der Verfassung nach Zwang: folglich liegt's in der Natur der Sache, daß man niemals studirt, als wenn man muß, d. h. im Grunde gar nicht. Es giebt immer Ausnahmen, das versteht sich. Aber hier hätte ich dann Gelegenheit, wieder auf ein anderes Capitel zu kommen, das ich für jezt nicht berühren will. Selbst die fleißigsten Zöglinge dieser Anstalten, wenn sie in die Jahre kommen, wo sie ihren Verstand selber gebrauchen können, klagen mit Unwillen, daß man sie ihre kostbare Zeit durch eine zwecklose Art, zwecklose Dinge zu studieren, so elend habe verschleudern laßen. Wer sich ganz im Geist dieser Anstalten bildet, wird ein gelehrter einseitiger Pedant. Aber ein brauchbarer Mann wird er niemals.

zittern die Karten mischen *); die vor dem Anblick des
Teufels erschrecken, wär' es, auch nur wegen seiner
sauern, gravitätisch seyn sollenden Miene, und, wenn
er fort ist, seiner spotten; die bey aller Sklaverey,
worinn ein bejammernswürdig pedantische Verfassung sie
erhält **), dennoch unter sich, und sogar gegen ihre

---

*) Darauf steht Karzerstrafe. Aber man flüchtet sich auf die
obern Böden, in verschloßene Gemächer, in die Kranken-
zimmer. Herablaßung der Vorgesetzten, Liebe und Zutrauen der Zöglinge, Kenntniß und Erlaubniß edlere Zeit-
vertreibe, könnte dieß alles verhüten: Und die leere Köpfe,
welche dann noch ihr Vergnügen fänden, Tag und Nacht
ihre Karten zu mischen (wie jetzt wirklich geschieht, ohne
Zweifel; weil's so hoch verboten ist) müßte man in Gottes
Namen ihren Eltern als unbrauchbar zurück senden. — Aber
laßt um Gotteswillen eure Profeßoren erst die Kunst lernen,
die sie von Rechtswegen schon lange verstehen sollten:
Studieren so angenehm zu machen, als Kartenspielen, und
dann wird jener Fall kaum möglich seyn.

**) Einer der abscheulichsten Mißbräuche ist der, daß man in
Denckendorf und Blaubeuren ehrwürdige Religionsübungen,
Beichte und Kommunion zu Schreckbildern, Strafmitteln,
und sogar zu einer Art von Folter macht, um Geständ-
niße herauszulocken. Man hat Beyspiele, daß man die
ganze Promotion vom Genuß des Abendmals ausgeschloßen
hat, weil sie etwa den Urheber irgend eines unbedeutenden
Kinderstreichs nicht entdecken wollten. — Man sucht sie
um diese Zeit wegen geringer und oft gar nicht sträflicher
Vergehungen in eine fürchterliche Gewissensangst hinein-
zuschröcken; macht ihnen öffentliche Gewissensfragen, die
sie mit ja oder nein zu beantworten, in gleicher Verlegenheit sind. z. B. Der Pr. C—. von D. tritt in einer der

Vorgesetzten, die oft klein genug sind, sich Partheyen machen
zu wollen, den ausgelassensten Oberinismus üben, und
eine Art von Demokratie bilden, wo das Faust-
recht gilt; denke man sich dieß Alles noch weit ärger
und greller, als es hier hingeworfen ist, so weiß man,
was ein Magister vier Jahre lang sey, eh' er ins
Stift kommt. Dann wird er aber nicht am ersten
Tage Magister, wiewohl er bereits die Fähigkeit hätte;
dreyßig Gulden zu zahlen, sondern das Ding geht
Stufenweise.

Erst wird der Knabe um die Gebühr ein Herr.
d. h. er deponirt. — Seine Kinderschuhe, wo bey
einst gar skandalöse Zerimonien vorkamen, die nun

Vorbereitungsstunden, welche die ganze Woche durch, die
man eine Art von Interdikt nennen könnte, dauern, heu-
lend und mit aufgehobner Hand vor einen der Zöglinge hin,
und fragt: Wenn nun der Herr Jesus so vor ihm stünde.
ihm in seinen Busen greifen, sein Herz in seinem Leibe
umwenden, und ihm zurufen würde: Gieb mir, mein
Sohn dein Herz! Was wollte er thun? — Lacht der arme Tropf, so ist er verloren. Sagt er ja, so erhält er
die Antwort: besinn er sich, was er für ein böser Mensch
gewesen ist! Lüg' er dem heiligen Geist nicht! Schweigt
er, so ist's pharvanische Verstockung. Eben dieser Pr. B
hielt neulich die Beichtrede, und ex abrupto fieng er
an: „Heiliger Geist! Sag mir doch: wer unter diesen jungen
Leuten der schlimmste sey?—" Dann legt er sein Ohr auf
den Katheder, und alle standen in peinlicher Erwartung.
Endlich richtete sich der Inspirande auf: willt du mir's
nicht sagen? Nun wenn du mi'rs nicht sagen willt, so will
ich's auch nicht wissen!!!

abgeschaft sind, und als Herr ist er — der Junge
der Aeltern. Er muß einbrennen, Wasser holen,
räuchern, vorbeten, vorsingen, Hutabziehen, vorleuch-
ten, hinter den Ofen stehen, das Maul halten ꝛc.
Dieß ist seine Noviziatzeit — Gleich nach seiner
Ankunft im Stift bekommt er auch, ebenfalls um die
Gebühr, lauream primam, d. h. er muß Doktor
der Philologie werden, und sollt' er auch keine lateinische Linie ohne Grammatikalfehler schreiben können. — Das zweyte Jahr wird er Kandidat (der Magi-
sterwürde) und wie er zuverläßig weiß, in keiner Rücksicht umsonst. Ehmals war dieß das Jahr der
Ausgelassenheit und der Ausschweifungen, besonders im
Trinken. Der Kandidat hatte einen oder zwey Monathe lang das Recht zu vagiren. (D. h. von einer
Malzeit zur andern, die Nacht ausgenommen, ungestraft
ausserhalb des Klosters zu bleiben. Man hat hier ganz
eigene lateinische Kunstwörter)! Schmäuse folgten auf
Schmäuse, und von dem an geriethen Beutel und
Körper bey vielen in eine nicht mehr heilbare Schwind-
sucht *). Diese Lizenz war das Vorrecht eines jeden, der

---

*) Aus der ganzen folgenden Beschreibung ist freylich sehr klar,
daß das Magisterwerden in Tüb. eine bloße nichtsbedeutende
Zerimonie sey, und daß wir kein Recht haben, uns über
die Verachtung zu beklagen, worinn diese wirtenbergische
Würde im Ausland steht. Indessen gehören die Einkünfte
davon zur Besoldung der Profeßoren der Philosophie, so
gut als z. B. ihre Collegiengelder, und es wäre sehr ungerecht zu verlangen, daß sie diese Einnahme zu einer
Zeit, wo der Werth der Dinge und die Ausgaben überall
sich erhöhen, aus bloßem Patriotism aufgeben sollten.
Auch kann man immerhin sagen, daß diese Gewohnheit

unter dem Vorsitz eines Professors eine von diesem,
oder, wie es ehmals häufiger geschah, als jetzt, eine
selbst geschriebene philosophische, historische, oder phi-

---

ihre gute und nützliche Seite habe, daß sie auch den
Trägsten nöthige, wenigstens einige Kenntnisse sich zu
erwerben, die er beym Opponiren, beym Verfassen der
Probschriften, beym Examen zeigen muß. Nur wird mir Niemand, der den Gang der Dinge kennt, läugnen, daß dieser Nutzen gar sehr unbedeutend sey. Man hat Mittel,
sich zu helfen, man läßt andre für sich arbeiten, man
schreibt aus, und wer blos einiges vom Unentbehrlichsten
lernt, weil er lernen muß, der gehört von Rechtswegen
gar nicht in dieses Stift. Auch sind es meistens nur aus
dem Zusammenhang herausgerissene, spezielle Materien,
deren Kenntniß man, wenn's recht gut geht, sich zu verschaffen genöthigt ist, und der Vortheil ist folglich, auch
von dieser Seite betrachtet, sehr gering. Dieß gilt auch
von den Disputationen, welche die Professoren im Namen
der Kandidaten jährlich ausarbeiten, und von den Sätzen
aus der Geschichte, der Metaphysik, dem Naturrecht und
der praktischen Philosophie, der Kritik, der Mathematik,
der Naturlehre, die unter ihrem Vorsitz vertheidigt werden. Sie haben ihren Nutzen nur für den, der im Ganzen studirt. — Immerhin mögten die Professoren ihre
durch lange Observanz festgesezten Ausgaben sich entrichten
lassen. Immerhin mögte diese Zerimonie selbst als Zerimonie bleiben: aber nur in so fern sie schädlich ist,
sollte sie abgeändert werden, in so fern sie z. B. Miß-
brauch einer Belohnung ist, die nur dem Verdienste gehört, in so fern man auf ihren Geist keine Rücksicht nimmt,
sondern nur am Aeusserlichen hängen bleibt; in so fern
man selbst den Arbeitsamen Kopf von seiner Lieblingsbe-
schäftigung abzieht, und ihn nöthigt, sich in fremden
Fächern zu zerstreuen und mit Untersuchungen über zweck-

ten sehr unbedeutende Fragmente einer Wissenschaft seine Zeit zu verschwenden.   Man lasse die gothische Form beym Disputiren weg.   Man prüfe die Aufsätze, die jeder Kandidat einzurichten hat, öffentlich,   und durchgehe sie öffentlich; man befrag' ihn darüber, man helfe ihm weiter ꝛc.

*) Am Ende der theologischen Laufbahn ist man verbunden zu disputiren, und das Kirchengut schießt einen Theil der Kosten dazu her; am Ende der philosophischen nicht.   Indessen weil dieses Meritum die Vortheile des Vagirens gewährte, und weil man bey der Lokation auf den Schutz des präsidirenden Professors glaubte rechnen zu können, so unterließ's nur die Aermste, oder die, welche bey der Lokation nichts zu verliehren hatten. — Das Vagieren ward erlaubt, weil der Disputirende, um wenigstens Hebammendienst an der Arbeit zu verrichten, wozu er so wenig Vaterrecht hatte, den Auftrag bekam, die Druckerpresse zu besuchen, die Korrekturbogen durchzusehen, das Einbinden zu besorgen, und sein Verdienst, das blanke Goldpapier den Mäzenaten von Tübingen demüthigst zu überreichen.   Die Schmäuse waren für die Opponenten, d. h. für junge Philosophen, die, wenn sie noch einig eigenen Antheils sich rühmen konnten, Einwürfe in logische und unlogische Form gebracht, aus ihrem Kompendium abgeschrieben hatten, nebst einem langen Prolog und Epilog an den präsidirenden Professor, dessen Bescheidenheit dabey mächtig geübt wurde, dem Respondenten herablesen, der sie nachbetete, so gut geradebrecht er konnte, consequentiam minoris statt der major negirte, und das übrige dem Professor überließ, wohlwissend, daß er für seine Doktorwürde, die Quittung bereits in der Tasche hatte! Diese Quittung für 29 fl. 59 kr. baar, wogen die

schon daraus schließen, wie man sich ihrer bediente, weil man genau wußte, wann sie wieder aufhören würde. Der gegenwärtige Ephorus hat diese Gewohnheit abgestellt, und mich dünkt, so lange man nicht zu allen Zeiten diese Freyheit hat, mit Recht. Zum Zeremoniell des Magisterwerdens gehört noch ausser der Disputation, Theses vertheidigen a), sich examiniren b)

Kosten für die Theses bestritten werden, deren jeder Professor einen Bogen schrieb, unter welchen aber die Kosten für die eigentliche Disputation, an welcher immer mehrere Respondenten Antheil nehmen, nicht begriffen sind, ist das Wesen des Magisterwerdens, und es ist schlechterdings keinem erlaubt, die Doktorwürde sich zu verbitten, wenn auch das Gefühl seiner Unwürdigkeit noch so stark wäre. Er würde dadurch nicht nur gesetzmäßig der Lezte in seiner Ordnung werden, sondern er liefe Gefahr, in den Karzer zu kommen. Doch dispensirt man Bedürftige von einem Theil der Kosten.

a) Das heißt: zwanzig bis breyßig Kandidaten stehen vier Stundenlang in einer dreyfachen Reihe auf dem Katheder an einandergereiht, wie Ruderknechte, und fächeln sich aus Langeweile mit dem Bogen Papier, auf dem die Theses gedruckt stehen, um den Schweiß abzutrocknen, der ihnen von den Einwürfen der Opponenten ausgepreßt wird. Sie assumiren, wenn — sie können, und der Präses antwortet.

b) Man nennt es Examen RIGOROSUM. Th. eine Hälfte besteht aus einem lateinischen Aufsatz, wozu vom Professor der Beredsamkeit ihnen das Thema an die Hand gegeben wird. In der andern, wobey der Kanzler gegenwärtig ist, müssen sie einige Fragen aus der Metaphisik der praktischen Moral, und der Naturlehre beantworten.

laſſen — die Lokation c), ein Programm, welches das ſogenannte Curriculum vitæ jedes Kandidaten enthält d), und endlich am Promotionstage die Ehre, drey Stunden lang einem neugierigen Volke zur Schau zu ſtehn und bey Ueberreichung der Inſignien

c) Im Stift ſelbſt geht alle Vierteljahre eine dergleichen vor. Dieſe aber iſt die feyerlichſte und lezte, welche den Plaz jedes Stipendiaten in der Reihe ſeiner Promotion für alle Zukunft feſtſezt. Die Veränderungen ſind ſelten wichtig, auch beſtimmt den Rang hier ſo wenig, als anders wo den Werth. Doch hat's ſchon küzliche Fälle gegeben. Vor ungefähr dreißig Jahren kam die wichtige Frage vor: ob Schenie oder Frömmigkeit (bey einer Rangbeſtimmung philoſophiſcher Einſichten) mehr werth wäre. Die Profeſſoren theilten ſich: der eine nahm ſeinen zweyten Leibniz in Schuz (ſo nannte er ſeinen Klienten, einen jungen Mann von auſſerordentlichen Fähigkeiten, Henrici hieß er, deſſen Denkungsart und Sitten aber nicht in die Kloſterregel paßten). Und Süßkind, ſagte der andre, wird ein zweyter Arndt (dieß iſt ſoviel ich weiß, derjenige, welcher nachher Geßners Idyllen verbrannte, deren Vorzug alſo nicht Unverbrennbarkeit war, wie die der Schriften des ſelbigen Arndts). Die Gottſeeligkeit, wie natürlich, gewann. Indeſſen war dieſer philoſophiſche Streit ſo lebhaft gerathen, daß die Regierung ein Wörtgen dazu ſprechen mußte. Der zweyte Leibniz ſtarb, wie man vermuthete, aus Gram, und den zweyten Arndt in Hoffnung nahm Gott zu ſich. Für gewöhnlich hat aber eine ſolche Lokation nichts weiter auf ſich, als daß man die Hefe ein wenig untereinander rüttelt.

d) D. h. Die Eltern, das Geburtsjahr, die untern Erziehungsanſtalten, die man durchloffen, die Stunden, die man beſucht, die Diſputation, die man vertheidigt, und die Aufſäze, die man als Beweiſe ſeiner Tüchtigkeit zur philoſophiſchen Doktorwürde gegeben hat.

sich vom Dekan der Fakultät lateinische Sottisen machen zu laffen, endlich die Würde selbst. Sobald
man Magister ist, bekommt man im Stift täglich eine
Kanne Wein und studirt — Theologie! — Diese
Doktorn der Philosophie sind also, wenigstens zur Hälfte
gestempelte Ignoranten, in deren Gehirnkasten niemals
auch nicht der Schatten von Licht eines bestimmten
Begriffes gefallen ist. Daß die Natur gütiger ist, als
die Verfassung, daß troz den unzählbaren Schwürig-
keiten von Schländrian, Pedanterey und Despotismus,
dennoch einige gute Köpfe sich zuweilen durcharbeiten,
wollen wir der Vorsehung danken. Aber dann sinds
eben nicht gerade diese, welche bey uns immer ihr
Glück machen, doch dieß ist hier wohl so, wie überall.

§. 295. Dieses Wesen, — Es hat im Stift
freye Wohnung und freye Kost. Aber mehr als 150
sind niemals drinnen, und selbst auf dem Stipendia-
ten-Zettel, welcher alle Vierteljahre gedruckt wird,
und die Namen aller noch unbediensteten Zöglinge des
Stifts enthält, stehn nicht 450. Zwar hat jeder auch
nach dem theologischen Examen vor dem Konsistorium
zu Stuttgardt, nach dessen Ueberstehung er die Freyheit erhält, Vikariats-oder Hofmeisterstellen außer dem
Stift anzunehmen, das Recht wieder dahin zurückzukehren. Aber wer einmal heraus ist, sehnt sich nimmer zurück, die Repetenten ausgenommen, welche
unter scheinbar günstigern Umständen wieder hineingehen.
Auch ist das Konsistorium selber so billig, das Zurück-
kehren in's Stift für eine wahre Pönitenz anzusehen,
und es daher als Strafe aufzulegen. — Die Woh-

mmg selbst besteht aus einem doppelten Bau, dem ältern und dem neuern.

Neuer war ehemals ein Augustiner = Kloster, ist massiv von Steinen gebaut, finster, enge und zu seiner obern Sphäre führen 99 Treppen. Dieser ist erst hinzugekommen und hat eine Aussicht auf's herrliche Neckarthal, die wenige ihres Gleichen hat.

Das absurdeste —) So war es ehemals, da es sich gutwillig in seine Disciplin fügte. d. h. Morgens zum Lateinbetchen aufstand, in der Meinung Gott damit einen Dienst zu thun, seinen Jungen prügelte, (jetzt lebt man mit ihnen auf freundschäftlichern Fuß) Mantel und Kragen umband, in Prozeßionen, ohne das Lächerliche davon zu empfinden, zur Kirche zog, und den Ketzergeißeln ihre Floskeln und Bannsüche nachschrieb, mit Feder und ungeheuren Papierheften in Kollegien der Dogmatik und Polemick rannte, Orthodoxie predigte, und nichts las, als Weißmann, Buddeus, Gerhard und höchstens den demonstrirsüchtigen Wolf. — Nun seit dieß anders ist, weiß man gar nicht mehr, woran man mit ihm seyn mag. — Es dreht sich in einem ewigen Wirbel von einer Sottise zur andern, und nur mitunter zu einem vernünftigen Einfall. Ich habe Frömmigkeits = und Saufperioden, Tanzprioden, Spielperioden, Poesie = und Schenkeperioden, Witz = und Unsinnsperioden, musikalische Perioden, selbst eine Galanterieperiode erlebt. Die Stipendiaten zogen einher, wie Abbees, brachten ihre Damen und führte sie in die Konzerte. Vor kurzem stand

die

die Mode auf, statt der Schnallen Bänder in den Schuhen zu tragen. Mit so heterodoxen Schuhen kamen einige Discalceaten vor die Amtsstube — Was ist das, Meine Herren! schrie der Ephorus. Plözlich ziehen sie andre Schuhe an! dann treten sie wieder vor. Folglich sieht Herr W. wohl, wie sehr er in dem Unrecht habe, was er von den Schnallen à la Frontin sagt. Gegenwärtig ist ein wahres Chaos im Stift, das erst einen fürchterlichen Sturz, aber mit der Zeit eine neue nothwendige Schöpfung verspricht. Palliativkuren, unter welchen strenges Halten über den bisherigen Grundsätzen die abscheulichste ist, helfen zu nichts, als daß das Uebel heimlicher und unheilbarer schleiche — alle Perioden gähren unter einander: die hervorstechendste ist die Periode der Heterodoxie, wie man im ganzen Lande wohl weiß, und dieser klägliche Zustand hat schon viele tausend Seufzer ausgepreßt.

Drey Pedanten — — füttern's und weiden's eben nicht! wenigstens nicht mit leiblicher Nahrung! die mag der Stipendiate verschlucken, und schwämmen Myriaden von Würmern in s. Gerste — Seine Suppe ist größtentheils ungenießbar. Beklagt man sich darüber: so ist die Antwort: Herr Magister, wenn Sie mit unserer Einrichtung nicht zufrieden sind, so sagen Sie's — in acht Tagen haben Sie dann ihren Demissionsbefehl. Auch ist dieß eine unbedeutende Kleinigkeit — denn ist wohl der Leib mehr, als die Seele? Der Wein ist erbärmlich, mehr Essig, als Wein. Von der geistigen Nahrung wäre desto mehr zu sagen. Diese drey, die Herr W., welches ihm Gott verzeyhe, Pedanten nennt *), sind zwey Profeßoren der Theologie, die man Superattendenten und ein Profeßor der Kritik, den man Ephorus nennt — alle drey nennt man das Inspektorat. Dieser war einst nun der erste Stipendiate, hatte den Titel Magister Domus, und den ältesten Repetenten zum Collegen, er wohnte, schlief im Stift und durfte kein Weib haben. Vor s. Gerichtsbarkeit gehörten geringere Verbrechen, und bey den Verhören hat er das Amt eines Konzipisten. Mit einem Wort, er war so eine Abart von Polizeylieutenant oder Aedilis curulis. Nun ist der Aedil zum Diktator geworden, und wehe dem, der nur von ferne Miene macht, ihn in dieser Würde nicht anzuerkennen. Die andern zwey — unterschreiben seine Verfügungen.

Und mokirt sich über seine ehemalige Zuchtvögte —) auch schon im Stift. Dieß ist noch sein einziger Trost, mit seinen Ketten spielen, wie Pfeffel sagt.

Man predigt beym Frühstück —) nicht — Auch bekommt man kein Frühstück im Stift. Des Morgens betet man lateinisch, und ließt einen Psalm — wer nicht erscheint, muß kariren, d. h. erhält Mittags und Abends seinen Wein nicht. Doch sind, nach einer zur Observanz gewordenen Konnivenz die ältere nicht verbunden, alle Tage zu kommen. Die jüngere helfen sich damit, daß sie — nach dem Gebet wieder

---

*) Hier folgt eine Charakteristik, die ich weglasse, weil dem Publikum mit Thatsachen mehr gedient ist. D. H.

in's Bett liegen. Mit Predigerkritiken wird der Abend nicht zugebracht. Denn dazu gehörte mehr Selbstverleugnung und ein feineres Gehör, als den gewöhnlichen Menschen zu Theil wird. Die Prediger haben für gewöhnlich eben nicht die Absicht der Gemeinnützigkeit, oder großen Beyfall zu erlangen. Ihre Stimme verwandelt sich gewöhnlich besonders bey der Gegenwart des Ephorus in ein leises Lispeln, und auf allen Fall bestellen sie einen Lerm — So können sie ohne Verlegenheit ihren Unsinn auskramen. Einmal hatte der Ephorus den Einfall, zu verlangen, daß jeder ein Vierteljahr an seiner Predigt arbeiten sollte. Für eine Rede, die längstens zehn Minuten dauert, erforderte dieß wahrlich sehr viel Mikrologie! — In der That, wenn gleich die Beschäftigung des Gaumens während des Essens eben nicht zu groß ist, wäre es doch eine schwere Buße, auf den Prediger aufmerksam zu seyn; denn vermög einer jämmerlichen Verwirrung der Begriffe giebt man den Magistern Texte aus dem neuen Testament für's erste Jahr, als die leichtere, weil der Grundtext griechisch ist, und in den zwey letzten Jahren Hebräische, als die schwerern. So kann's kommen, daß man vierzig bis fünfzig Predigten nach einander über das Laster der Abgötterey mit Beelzebub und Astharoth hört, oder Entscheidungen der wichtigen Frage, ob die Läuse, welche weiland der Mann Gottes Mose, hervorzubringen das Monopol hatte, wirkliche Läuse gewesen seyen? oder den ängstlich durchgeführten Beweis: der Kikkajon des Rappelkopfs Jonas sey kein Kürbis gewesen, sondern — ein Kikkajon. — Sonst giebt's auch Klopstockische, St*ische, philosophische, kritische, am meisten aber metaphysische Redner: Im Ganzen aber steht Homiletik in geringem Ansehn. — Die Abendunterhaltungen sind Winters, wo man in den Mauern des Stifts verschlossen ist, falscher Witz, Medisance, die in Kaffeevisiten nicht bigotter seyn kann, und wenn's am erträglichsten geht, (denn wissenschaftliche Unterhaltungen wären Pedanterey) beißende Einfälle über Repetenten, Inspektorat und Amtsstube. Doch müssen dieß schon vertraute Klubbs seyn: Sonst ist man vor Spionen nicht sicher, deren Existenz jedermann glaubt, und denen man doch niemals noch auf die Schliche gekommen ist, welches in der That viel Intrikengeist von der einen, und viel Indolenz von der andern Seite voraus sezt. Hat dann der Vorsteher einmal durch diesen Kanal seine zuverläßige Nachrichten aufgehascht, und die Idee von einem Charakter sich darnach gebildet, so kann man sich darauf verlassen, daß man sie nicht mehr austilgen könne, ausser wenn man — Kritik studirte.

Singen, Predigen und Theses aufreihen, dieß ist das Leben eines Magisters.) Morgens um 6 Uhr steht er auf. Dann beginnt er ein fürchterliches Geschrey um seinen Friseur, um seinen Jungen und um seinen Caffee, während dessen es nicht möglich ist, in den Zellen einen vernünftigen Gedanken zu haben. Dann geht er in die Kirche (von der man sich frey machen kann, wenn man sich krank einschreiben läßt, und zu Hause bleibt: — Eine Einrichtung des Ephorus, die sehr vielen Dank verdient. Doch darf man nicht alle Sonntage krank seyn), oder in die Lektionen, deren Vormittags drey sind. Um 11. Uhr zum

Essen, zum Singen, zur Predigt — bis 2. Uhr hat man Freystunden. — Dann wieder Kirche oder Lektionen und Kollegien: die Zwischenzeiten bringt man im Stift zu. — Um 6. Uhr speißt man zu Nacht: Sommers hat man dann Freyheit auszugehn bis zur Abendglocke, mit welcher das ganze Jahr das Thor des Klosters geschlossen wird. — Mit Theses Aufreihen haben nur die Professoren zu thun.

Hier sind die schöne Künste, wie exotische Pflanzen. — —) Um Vergebung! man hat Beyspiele von Mahlern und von Tonkünstlern, die sich im Stift gebildet haben. Auch macht man da alle Wochen zweymal eine Musik ex officio, die dann eben deßwegen meistens herzlich schlecht ist. — Während der musikalischen Periode wurden im Stift Abendkonzerte gegeben, wozu der Regel nach nur Stipendiaten den Zutritt hatten. Den ersten Winter ward's gestattet, den zweyten abgeschlagen, weil's Lerm mache. In der That war mancher Unfug dadurch verhütet worden. Gerade über vom Speisesaal, wo man die Konzerte gab, wohnt der Ephorus.

Kein andres Objekt als die Bibel und die Stiftsregel. — —) Was die Bibel betrift, so ändern sich die Zeiten! — Die Stiftsregel wird ihm aus einem jährlich zweymal wiederholten Vorlesen, und — aus der Praxis bekannt.

Man hat Beyspiele. — —) Der iezige Profeßor an der Karlshohenschule Schwab, hatte noch als

Stipendiat Poesien heraus gegeben, wovon unter andern
eine sich also schloß:

Hört's ihr Himmel, und vernimm's du Erde!
   Daphne soll, bis daß ich Asche werde,
      Ewig meine Daphne seyn!

Dieß war aufs höchste eine Sünde wider den Geschmak: man kann auch sagen, daß die feyerliche
Beschwörung im Munde des verliebten Poeten naiv
sey: Aber der vorige Kanzler R. fand eine Sünde
wider den heiligen Geist drinn, weil dieser Gottes
Ausspruch in einem profanen Liebeslied sey mißbraucht
worden, und der arme Dichter mußte für einige Tage in
ein unterirrdisches Loch wandern, wo er nun auch die
Hölle beschwören könnte. Dieß geschah vor etwa 16
Jahren. Die Begebenheit mit Edelmann kenn' ich
nicht: aber sie ist für jene Zeiten, wo Geßners
Idyllen in der Feuerprobe nicht bestanden sind, nicht
nur möglich, sondern auch wahrscheinlich. — Nun ists
umgekehrt; der gegenwärtige Ephorus befördert die
Freyheit im Denken, so viel er kann, d. h. er hindert sie nicht, welches auch nichts mehr helfen würde.
Man darf lesen, was man will, und man würde
nichts zu befürchten haben, wenn man auch über
Voltairen betrofen würde: doch glaub' ich nicht, daß
bißher ausser seiner Henriade, eins seiner Werke sich
nach Tübingen verirrt habe. Wäre indessen die Sub-
skription auf eine der neuesten Ausgaben seiner Werke
nicht für die Börse der Stipendiaten zu kostbar gewesen, jeder hätt' ohne Bedenken, wie auf Rousseaus

Schriften, von denen wenigstens dreyßig Exemplarien im Stift abgesezt worden sind, drauf unterzeichnen können. Es ist sogar schon so weit gekommen, daß nicht durch Zwang, sondern blos per genium seculi et ejus Characterem nativum, wie einer der oben angeführten Philosophen sich gar sinnreich ausdrückt, die Pietisten vertilgt sind, die sonst zu ihren Versammlungen im Stift ein eigenes Zimmer hatten. Br... hat dieß zuerst entweiht, der darinn sehr freymüthige Vorlesungen über die Dogmatik hielt: Aber einen um so befremdendern Kontrast macht diese Freyheit mit der übrigen Sklaverey, wie im Kapitel von der Amtsstube weiter erhellen wird.

Die Zeerde ist an die genauste Diät — —) Siehe oben — Wer in T. keinen Zutritt in Privathäuser hat (und den verlangt man selten anders, als durch Verwandtschaft, denn ein Stipendiat ist in T. ein verachtetes Geschöpf) hat keine Wahl, als die Schenke zu besuchen, wenn er ertägliche Kost sucht. *) Hier trift man sie zu funfzigen und sechzigen in ihrem Ordenshabit, in der einen Hand das Bierglas und in der andern die Tabakspfeiffe. Eine Parthie schiebt Kegel: eine Parthie spielt Tarok: eine Parthie flucht: eine Parthie balgt sich. — Eigentlich steht auf dem Besuch der Schenken eine harte Strafe, aber es ist nicht möglich, sie zu exequiren. Lustig ist's, was Fremde oder

---

*) Die drey erste Tische sind ausgenommen. Auch kann man sich zur Noth immer noch an Trod und Fleisch halten.

Innländer von entfernten Gegenden für Augen machen, wenn sie ihre künftige Seelenhirten in dieser Attitüde erblicken.

Auch kennt man sehr wenige, die brauchbaren Menschen worden sind. — —) Dieß paßt nicht zu dem, was auf der folgenden Seite gesagt wird, man könnt, es aber vereinigen. Sehr wenige wird man finden, denen nicht eine gewisse Plumpheit, eine gewisse schiefe Art, sich zu benehmen, die entweder in Blödigkeit oder in Unverschämtheit ausartet, und was jene Zeiten betrift, ein gewisser eigensinniger, einseitiger Geist, die Dinge zu betrachten, von ihrer Bildung im Stift her anhienge. Und so bleibt vielen auch vortreflichen Männern, wie unglücklichen Kindern von den Unordnungen der Mütter, ein ewiges Angedenken von der Pedanterey des Stifts — — Und für die wenige, die im Umgang der Welt, auf Reisen, und in verfeinertern Gesellschaften, diese Schlaken abwarfen, wär' es ohne Widerrede doch immer besser gewesen, hätten sie — keine Schlaken abzuwerfen gehabt —. Nimmt man noch dazu, wie die meisten Menschen gesund, klug, brauchbar, artig seyen, bis auf einen einzigen Punkt, so ist der Widerspruch vereinigt.

Unter diesen 5000 sind kaum zwölf — —) Es sind dennoch einige mehr. Einen Geßner, der sich irgend berühmt gemacht hätte, kenn' ich nicht als Landsmann und Schubart ist kein Zögling des Stifts. Dagegen ausser den berühmten theologischen Klopfechtern, besonders z. B. der osiandrischen Familie, deren Namen jezt glücklicher Weise schlummern, hat sich in der gegenwärtigen Welt auch das Andenken von Valentin Andreä wieder erneuert. Canzens Ruhm ist freylich verblüht. Aber zu seiner Zeit war er der Abgott aller sich erleuchtet dünkenden Köpfe. Auch war seine Idee nicht unrecht, Philosophie und Theologie zu vereinigen: nun zäumt' er unglücklicher Weise den Esel beym Schwanz, und richtete Philosophie nach der Dogmatik, d. h. die Sonne nach der Wand = Uhr. In unsern Zeiten kennt man als Denker und gute Köpfe besonders die Profeßoren der Carlshohenschule in Stuttgardt, Schott, Abel, Drück, Schwab —. Plank ist durch seine Geschichte der Entstehung des protestantischen Lehrbegrifs Professor in Göttingen worden. ꝛc.

Werthes, Seybold, auch Brastberger, Helfer in Heidenheim, ist ein junger Mann, der vieles verspricht. Er hat: Philosophische Briefe an meine Schwester, und ein Buch: Ueber Religion und Dogmatik geschrieben, die viele sehr gesunde Gedanken enthalten.

Wöchentlich vor den Repetenten einer Art Unterpedanten. —) Sie sind nur in dem Fall Unterpedanten, wenn die Inspektoren, Oberpedanten sind, das heißt, seit zwey Jahrhunderten ohne Ausnahme. Man wählt sie aus den Ersten jeder Promotion, und in der Stiftsregel heißen sie die rechte Hand der Superattendenten, welche aber eben von der allzugrossen Anstrengung zuweilen die Gicht hat, und ihre Bewegungen nur konvulsivisch verrichtet. — Sie tra-

gen Kutten, ſitzen im Speiſeſaal zuoberſt an einer runden Tafel, wo ſie beſſere Koſt, und jeden Mon-
tag Abend einen Kalbskopf bekommen, haben einen
gemeinſchaftlichen Livreebedienten, laſſen zum Beten
gehen, führen die Prozeſſionen, zählen die Stiftsbürger alle Nächte, wie der Pferchknecht die Schaafe —
beſitzen den Schlüſſel zu einem eigenen Gang, unter
welchem kein Zerberus die Wache hat, halten Wie-
derholungs - und Prüfungsſtunden, haben in einigen
Vergehungsfällen auch über den Wein der Züchtlinge
zu gebieten, verfaſſen Zeugniſſe von den Sitten und
Kenntniſſen der Stiftsbürger, und werden vom Ephorus nur in der Stille gehudelt, mit einem Wort:
Sie möchten gern, und können nicht! Dieß iſt ihre
Beſtimmung im Verhältniß zum Stift. Von dieſen
hat ein Magiſter alle Montage ein Examen auszuſte-
hen, welches man Locus nennt, über einen Abſchnitt
der Dogmatik. Es iſt eine Art von Wiederholung,
und es hängt viel vom Repetenten ab, dieſe Uebung
ſehr brauchbar zu machen. — Die noch in den Vorhö-
fen ſind, haben eins alle Vierteljahr, nach welchem ſie
lozirt werden.

Welches darüber wacht, daß die Geiſtlichkeit
nicht klüger werde. — —)

Eine neue geſchärfte Verordnung bringt darauf, daß
die Magiſters, wenn ſie ſich zum Examen in St. ſtellen,
die Definitionen des Sartorianiſchen Kompendi-
ums fein auswendig können, unter der Bedrohung,
zurückgeſchickt zu werden. Diß hält man für eine Vor-
mauer gegen die einreiſſende Hetrodoxie. Es iſt frey-

lich lustig, wenn ein solcher neoterischer Theologe mit den Altgläubigen in Kollision kommt, und unberufen, wie ein Missionar, unter dem Heydenvolk, voll Bekehrungssucht seine neue Aufklärungen ausstreut. Keiner von beiden Theilen kennt die Waffen des andern, und es ist nicht immer der jüngere, welcher den Sieg davon trägt. Denn gewöhnlich sind beide Theile Nachbeter, und gewöhnlich haben die Alten besser nachbeten gelernt, als die Jungen. Die Vernünftige schweigen, und erwarten alles von der Zeit *).

Wie sollte ein Mensch — . —) das glaubt man nun nicht mehr, wenn man's auch vorsagt.

Nun noch einige Silben von der Polizey des Stifts:

1. Verbrechen und Strafen). Was Verbrechen sind, weis man nun so ziemlich aus dem Vorhergehenden. Zu spät in die Kirche, zum Essen, in die Lektion, zum Thor kommen, das Gesangbuch oder das Singen, oder den Mantel vergessen, sich pudern lassen, welches Luxus heißt, das Essen, das Gebet, die Lektion, die Kirche versäumen, in der Kirche oder in der Lektion schlafen, oder ein fremdes Buch lesen **)

----

*) Um Vergebung, was soll die Zeit thun, wenn's nicht die Menschen in der Zeit thun? d. H.

**) Dieser Titel fängt an abzukommen, seit in manchen Lektionen kaum ein einziger mehr das Kompendium oder die Bibel mitbringt. Der Famulus würde niemals fehlen, wenn er bey gewissen Vorlesungen alle der Reihe nach zum voraus als Verbrecher aufzeichnete. Dieser Lektionenzwang

u. f. w. u. f. w. Am Essen oder in der Kirche schwa-
zen, oder mit Brodkügelchen werfen, oder lachen,
oder zischen, oder schreien, eine unerlaubte Stunde
ausser dem Kloster zubringen, gehört zu den geringern
Vergehungen und wird mit 1 — 4 malligem Kariren bestraft *). Grössere sind, einem Repetenten oder Famulus trozen, Taback rauchen, Tarock spielen, Spa-
zieren reiten, ohne Erlaubniß, die aber im Jahr doch
drey bis viermal gegeben wird — einen Rausch haben,
oder einen Verdacht von Rausch**), Tanzen, Schenken
besuchen, u. f. w. auf diesen steht Karzerstrafe.

---

raubt unsäglich viele kostbare Zeit, und schon als Zwang
macht er auch nüzliche Vorlesungen verhaßt. Einige Professoren lesen in ihren Kollegien eine Fortsezung der Lektion.

Jene besuchen kaum zehn, diese sechzig, die folglich, wenn
sie auch aufmerken wollten, nichts als Fragmente bekämen.

Rechnen wir auf den Tag nur zwey solche Stunden, wie
viel verlorne Zeit!

*) Ob neglectum templum 4 mal, ob prandium 2,
ob cænam 4, ob lectionem 1, ob serum ad
portas 4 (das zweytemal in einem Vierteljahr
Karzer) ob preces 1. 2. ob lectionem libri alieni, 1,
ob mores indecentes 1, ob abusum panis 2, ob
garritum, ob sibilum, ob clamorem, ob risum, ob
cachinnum 1 - 2, ob vagationem 1 - 3.

**) Seit einiger Zeit hat die Seuche des Trinkens, wie
überall, auch im Stift abgenommen. Obige Distinktion
erfand man, um nach Verhältnissen eines Angeklagten

Jedes Vierteljahr werden alle diese Strafen und Vergehungen nebst einem Zeugniß von der Aufführung jedes Stipendiaten an's Konsistorium berichtet. Wer mehr als achtmal kariert — wird der Regel nach von diesem das erstemal gewarnt, das andremal mit Karzer bestraft. Eine Karzerstrafe der Inspektorats wird vom Konsistorium verdoppelt. — Karzerstrafen stempeln bey den Vorstehern zum schlechten, unbrauchbaren Menschen, und es ist klar, wie leicht man dieß werden könne, und daß alles von der Meynung und der Darstellung der Vorgesezten abhänge, versteht sich von selbsten.

2. Amtsstube. — —) Vor dieser erscheinen müssen, ist unter allen Strafen die fürchterlichste. Dieß Tribunal besteht aus den drey Inspektoren, und der Ephorus führt das Wort. — Das Verbrechen wird niemals untersucht, sondern vorausgesezt, und wer sich vertheydigen will, verschlimmert seine Sache unwiderbringlich. Wenn er auch heute sich durchschlüge, so wäre er doch gewiß Morgen wieder in der Falle. Jede Entschuldigung ist zum voraus eine Lüge und man kann drauf rechnen, daß der E. mit vielem Geschmack diejenige Vorwürfe aussuchen werde, die am tiefsten stechen, und alles Gefühl niederdrücken. — Wer vorgerufen wird, der bückt sich und schweigt. Diese Behandlung macht gar keinen Eindruck mehr,

---

schonen zu können. Im Winter dieses Jahrs ist wegen dieses Exzesses eine neue geschärfte Konsistorialverordnung ergangen, die dem Nächsten, der sich wieder verfehle, oder Rücksicht — Dimission droht.

so gewohnt ist man sie und es ist — unglaublich, wie tief dadurch der Leichtsinnige in grössern Leichtsinn, der Niederträchtige in grössere Niederträchtigkeit versinke, und wie sehr dadurch dem Mann von einer bessern Denckungsart der Aufenthalt im Stift zur Quaal werde. Es ist wahr, die Verbrechen sind meist zu geringfügig, — und die Untersuchung wäre zu weitschweifig, als daß man juridisch zu Werck gehen könnte: Aber warum hat man für solche Verbrechen, solche Strafe, solche Gesetze, und warum handhabt man sie so? —

3. Famuln.) Dieß sind Knaben von verarmten Handwerkern zu Tübingen und auf dem Lande, die in ihrem vierzehnten Jahr von der Schule weg ins Stift kommen, wie die ächte Stipendiaten, Kragen und Mantel tragen, und an nichts kenntlich sind, als an dem laurenden, schielenden Spionenblick, und der niederträchtig — bößartigen Miene. Sie spucken im Stift oft zwanzig bis dreyßig Jahre, und sind die Todesengel des Ephorus und der Repetenten, kündigen ihre Strafen und Befehle an, und richten ihre — Sottisen aus. Ihr Amt ist, die Speisen aufzutragen, während dem Eßen auf der Kommunität an den Säulen zu stehen, und zu lauren, ob kein Betrunkener am Tische sitze, ob alle beym Gebet ordentlich die Hände falten, ob keiner zu laut Athem hole u. s. w. Ferner werden sie in die Lektionen und Kirchen versandt, oft auch auf die Straßen, wenn man Exzeße wittert, daß etwa einer einen Spazierritt mache, oder ein benachbartes Dorf besucht habe: Auch haben sie einiges bey der Oekonomie zu schaffen. Im Ganzen aber sind sie die privilegirte Spio-

nen des Ephorus, freylich nicht so schädlich, wie etwa geheimere, weil man jenen doch aus dem Weg gehn kan; aber jedem Zögling von Selbstgefühl ein unerträglicher Anblick: Denn er steht sogar in einigen Fällen unter ihrer Bottmäßigkeit, und sie können mit einem Wort, je weniger er sich zu ihnen herabläßt, ihm Ursache tausendfachen Verdrußes und sogar seines Unglücks werden. Denn ihre Stimmen sind in Rücksicht auf Schuld oder Unschuld entscheidend und bey gegenwärtigem E. . hat man Mühe, durch das Zeugniß von fünfzig Stipendiaten, oder eines Repetenten sogar sich zu rechtfertigen, wenn einer dieser Buben auf dem Gegentheil beharrt. Und dieß kommt daher: Wenn einmal eine Sache angebracht ist, so muß sie bestraft werden: Dieß ist entschieden, lange vor der Richtigkeit der Anklage; denn von einem seiner Untergebnen nur einmal hinters Licht geführt zu werden, wäre das unerträglichste, was ihm begegnen könnte. Er weis aus seiner eigenen Geschichte, daß und wie dieß ehmals geschehn sey? Eben daher weis er, wie selten sich ehrliche Leute brauchen laßen, über die Nichtbeobachtung zweckloser Gesetze einem jungen Mann Verdruß zu machen: Folglich ist er genöthigt, um das Ansehen dieser Gesetze und das Seinige erhalten, d. h. um strafen zu können, eine solche Menschen = Race, trotz all ihrer Niederträchtigkeit, die er selber fühlt, und trotz dem Joch, das sonst auf ihrem gebeugten Nacken liegt, zu schützen und vorzuziehen, wenn die Ehre eines Stipendiaten mit ihrer Dummheit oder Schurkerey in Kollision kommt: — denn daß diese zwey einzige Fälle bey ihnen möglich seyen, erweist ihre Bestimmung, als Polizeyspührhunde und die ganze Geschichte ihrer Bildung unwidersprechlich. Er handelt, so bald er jede Uebertretung der Klosterstatuten bestrafen zu müßen glaubt, konsequent, davon ist keine Frage: Aber das ist eben, warum gerade der Rechtschaffene, der nicht kolludiren mag, bey solchen Demüthigungen seinen Aufenthalt im Stift verwünscht und über Gesetze seufzt, die er nicht beobachten kann, und eine Einrichtung, wo alle Regelmäßigkeit bey dem geringsten ungünstigen Scheine, bey der Tücke eines Famuls, bey dem Vorurtheil eines Aufsehers, ihn dennoch nicht schützt. — Und warum gilt dann hier nicht der Grundsatz der Menschlichkeit: Lieber neun Schuldige loszusprechen, als einen Unschuldigen zu verdammen? — Weil die Vergehungen und Strafen meist gering sind? Weils nicht der Mühe werth ist, die Ruhe, die Zufriedenheit, — das Glück eines jungen Mannes in Betrachtung zu ziehn? —Oder wenns Fehler der Verfassung ist, warum läßt man sie so? — Diese Unglückliche nun (denn das sind sie im höchsten Grade, überall verachtet und verhaßt, und ohne Zweifel sich selber verächtlich) werden im Stift groß gefüttert, lernen nichts, denn sie haben keine Gelegenheit; (durchaus keine; man überläßt sie völlig sich selbst, und dieß vom vierzehnten Jahr an) arbeiten nichts, denn ihre Polizeygeschäfte nehmen ihnen zuviel Zeit weg, und ohne Gefühl für Ehre, ohne Kenntnis irgend einer zweckmäßigen wissenschaftlichen Beschäftigung, (was sollten sie vor sich selbsten arbeiten wollen?) bleiben die Meisten im unglaublichsten Grad Ignoranten, und am Ende werden sie — die lateinischen Schulmeister des Landes!

Wie

Wie oft, wenn ich in die dunkle Halle des Kreuz-
gangs trat, und oben den Vers las:

„Clauſtrum hoc cum patria ſtatque caditque ſua!“

durchlief ein Schauer meine Gebeine, wenn mir das
ominöſe clauſtrum aufs Herz fiel! — Wie oft ſeufzt'
ich: das wolle Gott nicht, daß ſeine Exiſtenz als clauſtrum noch länger daure!

Dieß ſind einige Züge von der, gegenwärtigen Verfaſſung einer Anſtalt, die alle Anlage hat, die Einzige in ihrer Art und die vortreflichſte zu werden! —
Im ganzen proteſtantiſchen Teutſchland findet man das
Kirchengut nicht ſo glücklich erhalten, und zu ſo lobenswürdigen Zwecken angewendet, wie in Wirtenberg!
Nirgends in Teutſchland exiſtirt mehr ein Stift, wie
dieſes, nach ſeinem ganzen Umfang und nach ſeiner
ganzen Abſicht, wo von den erſten Jahren an, alles
unter der Aufſicht des Staats zuſammenhängt, und
einander in die Hand arbeitet, um die brauchbarſte Volkslehrer zu bilden, und dieß iſt für mein Vaterland große
Ehre. Aber nirgends exiſtirt auch mehr in allen proteſtantiſchen Ländern eine Anſtalt von einer noch ſo
ganz mönchiſch-deſpotiſchen äuſſern und innern Verfaſſung, und dieß iſt keine Ehre für mein Vaterland.
Ich bin nicht der Meynung des großen Bilfingers,
daß man dieſe ganze Verfaſſung aufheben und zer-
trennen ſollte. Der Plan, einen gewiſſen esprit de
corps *) zu gründen, iſt zu ſchön und zu tief angelegt,
und ſeine recht geleitete Folgen ſind zu wohlthätig,

1. B.   T

als daß man ihn ohne irgend einen Versuch einer radikalen Verbesserung so ganz aufgeben, und nicht trachten sollte, sie dem Geist der Zeit gemäß umzubilden. — Man müßte freylich von unten anfangen: man müßte die Trivialschulen umformen: man müßte dem Umfug der Pedanterey in den niedern Klöstern steuern: man müßte — — O! was müßte man nicht alles thun, und Wirtemberg könnte durch diese einzige Anstalt in Rücksicht auf seiner Bewohner Aufklärung und Glückseeligkeit das erste Land in teutschen Reich werden.

---

*) Den man aus guten Gründen im Sift jezt gar nicht begünstigt; denn sobald alle eins wären, so müßten die Sachen einen andern Gang nehmen, und man könnte nicht mehr — so willkührlich herrschen. Daher unterhält man einen gewißen Druck und eine gewiße Verachtung gegen die Jüngern. Daher darf der Repetent, ohne Ungelegenheit zu befürchten, sich den Stipendiaten nicht nähern u. s. w. Nun findet dieser Geist niemals Stof als allenfalls in Zwistigkeiten mit den Purschen, die in der Stadt studiren, und beyde Theile affektiren im Ganzen beständig eine gegenseitige pedantische Verachtung.

An den ungenannten Einsender dieses Aufsazes.

Allerdings hatte Herr P. in U. der Ihnen, wie Sie sagen, außer dem Meßkatalog die erste nähere Nachricht von der Herausgabe des Schw. Muf. gab, Recht: daß ich Aufsäze, wie der Ihrige ist, mit vorzüglichem Dank aufnehmen würde — und der Plan, den Er Ihnen mittheilte, ist der Meinige. Bey meiner Lage — denn ich schreibe in Helvetien — und meiner Denkungsart hätten Sie nicht die große Vorsicht nöthig gehabt, mit der Sie sich selbst gegen mich zu verschanzen gut fanden. Jeder meiner Korrespondenten, der sich mir nennt, hat — im Angesicht des Publikums — mein feyerliches Ehrenwort, daß ich selbst bey den strengsten Inquisitionen, seinen Namen nicht entdecken werde — wenn es mir nicht aktenmäßig bewiesen wird, daß er mir — notorische Lügen überschrieb. Gerade dadurch, daß Sie auch mir Ihren Namen verschwiegen, wäre ihr Aufsaz beynahe für das Schw. Muf. unbrauchbar geworden. Die Versuchung, ihn abdrucken zu lassen, war freylich sehr gros, aber beynahe eben so gros war auch die, ihn zu unterdrücken, da ich für die Aechtheit der mitgetheilten Thatsachen keinen Bürgen hab. Nur das hat mich bestimmt, ihn aufzunehmen, daß er nach allen Anzeigen das Gepräge der Wahrheit und den Beyfall eines Mannes hat, der die Anstalt, über die Sie schrieben, durchaus kennt, und dem ich eine Abschrift Ihres Aufsazes mitzutheilen nöthig fand. Auch sind mir verschiedene Thatsachen, die Sie berühren, ohne Varianten von mehrern meiner Korrespondenten überschrieben worden. - Bey all dem aber muß ich Ihnen gestehen, daß eine gewiße Heftigkeit, die wir an einigen Orten durchzublicken schien, mich einigemale in Verlegenheit seze. Ich konnte — ohne dem Ganzen zu schaden, nur sehr wenig mildern — Auf die Versicherung der heiligsten Verschwiegenheit werden Sie doch wohl kein Bedenken mehr tragen, sich mir zu nennen? Die Originalhandschrift ist Ihrem Verlangen gemäß verbrannt. Ihre Briefe werden Sie durch den **** wieder zurückerhalten haben? — Mit Vergnügen seh' ich mehrern Beyträgen von Ihnen entgegen. —

Der Herausgeber.

Auszüge aus Briefen.

I.

Lebens - Geschichte
des
schwäbischen Dichters
Christoph Städele.

Von ihm selbst.

Auszüge aus Briefen.

I.

Lebens = Geschichte

des

schwäbischen Dichters,

Christoph Städele.

Von ihm selbst.

Eine Skizze also von meinem Leben! Hätten Sie mehr
gefodert, so hätt' ich Ihnen nicht willfahren können:
denn, wenn ich's auch ganz ausschreiben würde, so
wär' es doch selbst nicht mehr, als eine Skizze. Sie
werden hier eine Schilderung finden, die so unordent-
lich, unbestimmt, ohne Plan, und Auszierung ist, daß
sie meinem Leben nicht ähnlicher seyn könnte. — Ich
will Ihnen hier nur so hingeworfene Züge darlegen, wie sie
mir in die Feder kommen, theils ganz ferne, theils, woraus
ich einige Folgerungen meines Schicksals herzuleiten glaube,
etwas zu weitläuftig: und vielleicht mit dem Schein
einer allzu großen Partheylichkeit. Ein sehr schwerer

T 4

Punckt! Ich will mich aufs sorgfältigste hüten, nicht diesen großen Fehler zu begehen, oder gar stolz von mir selbst zu sprechen. Und wer weiß, ob ich bey alle dem nicht da oder dort, einer solchen Versuchung — unterliegen werde, auch in einem Alter nahe an vierzigen. Sollten Sie da oder dort einen dieser Fehler finden, o so rechnen Sie es einem Menschen zu, der nicht mehr ist, als ein schwacher Mensch.

Memmingen ist mein Geburtsort — der 27. Sept. des 1744. Jahres mein Geburtstag. Mein Knabenalter hat — nichts zum voraus, das aufgezeichnet zu werden verdiente. Aber das muß ich sagen, vor aller Welt sagen, daß meine Eltern so viel auf mich wandten, als ihre häusliche Umstände immer zuließen, und von dem ich ihnen leider! noch nichts habe wieder vergelten können. —

Ich wurde in die hiesige lateinische Schule geschickt, die aus 4 Klassen bestehet, und Lyceum heißt. Mein Vater hatte den Gedanken, (woher weis ich nicht) mich der Theologie zu widmen. Und darum mußte ich in alle 4 Klassen wandern. Rühmen kann ich mich nicht, daß ich mich vor andern, im Studieren (das heißt besser lernen) besonders ausgezeichnet hätte. Doch, daß mir Gott Gaben geschenket hat, konnte auch Niemand widersprechen; selbst meine verehrungswürdigste Lehrer bezeugten das. Nun trat ich das Alter an, in dem gemeiniglich unsere Bestimmung festgesezt wird, und sich unser Charakter immer mehr zu entwickeln anfängt. Von diesem Alter muß ich Ihnen allerdings eine besondere Bezeichnung machen, denn mein ganzes Schicksal hängt davon ab. Ich war jäh' zwölf und nur die unbedeutendste Beleidigung konnte mich auf einen so hohen Grad dieses Affects bringen, daß ich mich nicht fassen konnte. Doch, so vernunftlos zornig ich auch war, so konnte auch nur eine einzige freundliche Begegnung, nur ein einziges freundliches Wort mitten im Toben mich demüthigen, und mit der ganzen Welt wieder aussöhnen. Auch hatte ich einen Hang zum Besondern und zur Schwärmerey, aber ohne Verstand, gründliche Ueberzeugung und Leitung. Leichtsinnig, oder, wenn Sie wollen, leichtgläubig war ich auch. Wenn es aber kam, daß ich mir mit einer Lüge behelfen, oder für einen andern lügen sollte, dann stand der saubere Junge da, und man sah ihms an der Stirne an, daß er mit Unwahrheit umgehe, eh'er noch seinen Mund recht — aufthat. Daß sich meine Schulgenoßen mit diesen Fehlern öfters belustiget haben, können Sie sich leicht vorstellen. Ich würde sie auch weggelaßen haben, wenn ich nicht dem Gesetze der Wahrheit gemäß, die Fehler eben so gut, als etwas anderes mit aufzeichnen müßte. Nun haben Sie weiter nicht, als einen Knaben, den die Natur nicht kaltblütig geschaffen hat: aber Sie werden sehen, daß dieses alles würklichen Einfluß auf mein ganzes Leben gehabt habe. Ein Beyspiel: Mein damaliger Rektor D . . . der nachher als Abendprediger bey St. Martin starb, gab mir einst einen Verweis, weil ich in den Morgenunterricht im Lateinischen, der unmittelbar vor der Vormittagsschule vorhergieng, um eine halbe Stunde zu spat kam. Ich entschuldigte mich mit der wahren Ursache: das reizte den Mann, daß er mir eine Ohrfeige gab. Dieß nahm ich nun sehr übel auf: und nach der Schule hieß es gleich: Vater! Ich bleibe

zimmer in der Schule. „Warum?“ Ich will ein Kaufmann werden. „Wenn du Lust dazu hast, will ich
dirs nicht wehren, wenn du nur etwas lernest, daß ich
mich freuen kann.“ Und so wurde denn gleich der
Schule abgedankt. Ich kam in eines der der ange-
sehensten Häuser allhier, wo ich schon lange bekannt
war, und man mich dazu aufgemuntert hatte, in die
Schreibstube. Aber siehe da! mir wars, als wäre
ich in eine ganz andere Welt versetzt worden. Alles,
was ich angrif, kam mir sonderbar vor: und ob ich
schon im Eigentlichen gar nicht teutsch verstand, so
wollte mir doch der kauderwelsche Briefstyl der Kauf-
leute gar nicht in Kopf, und ich war so frech, daß ich im
Kopieren manche Konstruktion anderst abschrieb, als
in dem Briefe stand. Alles, was ich angrif, that ich
ungeschickt. Ich fühlte einigermaßen selbst, daß ich zu
keinem Kaufmann geboren war; doch harrete ich ein
ganzes halbes Jahr, die Probezeit aus: gab mich so
gar darein; und es wurde der Lehrkontrakt geschlossen.
Auf einmal aber kam etwas, das nun eine gänzliche
Abneigung von der Kaufmannschaft, und neues Verlangen nach der Schule in mir erregte. Inzwischen
wurde mein ehmaliger Rektor Stadtpfarrer, und die
Schule bekam einen andern würdigen Mann zum Rektor, ber's noch ist. Ohne einem einzigen Menschen
etwas zu sagen, — gieng ich zu etlichen Männern, die
über die Schule Aufsicht haben, und bat sie, mich in
dieselbe wieder aufzunehmen, und mich meinen alten
Siz in der Klasse besetzen zu lassen. Meine Bitte
wurde mir gewährt. Mein Vater wunderte sich deßen,
daß ich der Kaufmannschaft gute Nacht! sagte, ließ
aber ganz geruhig mich mein Mäntelgen wieder anziehen,

und der Schule zu wandern. Dieß gieng nun so ganz wacker wieder fort: und ich bekam endlich versicherte Hofnung, als Stipendiat aufgenommen zu werden. Unvermuthet trug sich mit einem meiner Schulkameraden etwas zu, das ihm nicht sonderlich rühmlich war; ich wurde so darein verwickelt, daß es ihm nicht sonderlich behagte. Dieser war ein durchtriebener, verschlagener, und frecher Junge, und wußte sich meiner Fehler zu seinem Vortheil sehr gut zu bedienen. Er sann vorhin schon darauf, mich zu verdringen: und seine arglistige Freundschaft ließ keinem bösen Wahn wider ihn in meinem Herzen Raum, bis ich bey dem Vorfall, von dem ich eben sagte, wider ihn zeugen mußte, und ein paar von meinen eigenen Büchern, die mir lange mangelten, und er mir entwendet hatte, bey ihm fand. Acht Tage lang mußte er manche Beschimpfung von den Schulgenossen leiden. Aber er wußte seine Rolle zu gut zu spielen, als daß dieses länger hätte dauern sollen. Er wußte sich bey den meisten vollkommen wieder einzuschmeicheln. Er ergrief auch jede Gelegenheit, sie zu hezen, daß sie mich neckten. Er selbst aber that mir in meinen Schularbeiten so vielen Tort, daß ich manchen Verdruß darüber leiden mußte. Da wußte ich mir nicht zu helfen. Denn wenn ich einmal zornig war, so war ich einer Verantwortung oder Vertheidigung ganz und gar unfähig: und ich hatte weder Schützer, noch Helfer wider ihn. Ich wurde dieses Wesens überdrüssig, gieng aus der Schul, und — ward ein Hutmacher. Wie dieses meinen Eltern aufgefallen seyn mag, können Sie sich leicht vorstellen! Doch der Grundsatz meines Vaters: „kein Kind zu etwas zu zwingen, mit dem es sich seine ganze Lebenszeit durch beschäftigen muß, „überwog sein Nachdenken über meine Sinnesänderung, und beruhigte ihn. Er unterwies mich in seinem Handwerck ohngefähr zwey Jahre lang, und schickte mich in die Fremde. Nun erstarb gleichsam alles Gefühl für Natur und Kunst. Sorgen der Nahrung waren der Mittelpunkt meines Lebens. Bücher waren mir eben das, was einem Tauben Musikalien sind. Er sieht sie höchstens an, und geht seines Weg's weiter. So viel von einer siebenjährigen Wanderschaft. Denn was sollte ich Sie mit dem alltäglichen eines Handwerkspurschen aufhalten, der von einem Ort zum andern sich fortschlept? einen einzigen Fall ausgenommen, der meinem Schicksal eine ganz besondre Wendung hätte geben können. Sie werden sich jener Zeit noch erinnern, da unser liebes Schwaben, von einer schweren Theurung gedrückt, ängstlich seufzte. Damals arbeitete ich in L.. Wem ein solches Elend das Herz nicht angreift, dem muß Mutter Natur das Glück der Empfindung — gänzlich versagt haben. Auch meine Vaterstadt wurde von dieser Theurung heimgesucht. — Zu eben der Zeit gieng das Gerücht, daß England Kolonisten auf die Insel Falkland werbe. Es wurden auch viele schon von dem Herzog zu W. dahin gedungen: — und Graf von S. Kammerherr an diesem Hofe warb seinerseits auch. Der Gedanke, daß durch diese harte Zeit mein Vater in Armuth gerathen müße, daß ich noch einen Bruder habe, der auch Hutmacher wird, und, damit ich jenen mit mehrern Kosten nicht mehr beschweren dürfe, und diesem in der väterlichen Werckstätte Platz mache, erregte in meinem Herzen den Entschluß, hinzugehen, und mich nach Falkland dingen zu lassen; es gehe, wie es wolle! Ehe ich aber diesen Schritt that, gieng ich zu einem Landsmann, Herrn v. W., der damals Regimentsquartiermeister beym S. Musquetierregiment war, und entdeckte ihm mein Vorhaben. Dieser stellte es mir als ein Wagstück vor. Ich sagte ihm die Ursache meines Entschlußes, und auf das hin wünscht er mir Glück. Nun gieng ich zu obbemeldtem Grafen und ließ mich dingen. Dieser Herr freute sich deß, weil er noch keinen Hutmacher in seiner Liste hatte. Ich nahm weder Hand- noch Taggeld von ihm. (denn gleich sobald man angeworben wurde, bekam man sein gewisses Taggeld) So lang ich arbeite, sagte ich, hab ich Kost und Lohn bey meinem Meister; — geht die Reise, dann kann ich es schon kriegen und kommt mir erst wohl. Inzwischen reiste ein Nachbar und Vertrauter meines Vaters durch L., und besuchte den Herrn v. W. Dieser erzählte denselben mein Vorhaben und der meinem Vater. Gleich darauf reiseten andere zwey hiesige Bürger durch L. besuchten mich, und wollten mich von meinem Vorhaben abwendig machen, denn sie hatten es von meinem Vater gehört, was ich bey mir beschlossen hatte: aber ich verharrte fest darauf, und ließ sie wieder ziehen. Nun schwärmte ich auf meinem Falkland herum, und machte mir hundert Plane. Aber die Beschwerlichkeit dieser Unternehmung war auch immer gegenwärtig, und besonders der Tod. Sterb ich, nun wolan! — So bin ich gewiß versorgt, und mein Vater darf sich nicht mehr mit Sorgen für dich plagen, und was verliert die Welt viel an dir? Diese Träumereyen aber hörten bald auf: denn ein Brief von meinem Vater machte dem Spiel ein plötzliches Ende. O mein Lieber! so habe ich in

meinem Leben nicht gelesen. Dreymal fieng ich an,
und mußte mich von dem Menschen entfernen, um
satt weinen zu können, und dann erst konnt ich
ihn ganz — durchlesen. „Ich bin alt; weiß noch
„nicht gewiß, was aus deinem Bruder werden wird;
„hofte, du werdest mich in meinem Alter unterstützen.
„Doch, wenn du, wie ich höre, fest auf deinem Vor-
„saz verharrest, nun so reis in Gottes Namen, wo-
„hin dich dein Schicksal führen wird! — Und sein
Segen, den er mir gab! — Gott um Verzeihung bitten mußt' ich, daß ich dem guten alten Vater, wider
Wissen und Willen, und aus redlichen Absichten, eine
solche Sorge gemacht habe: und ein Gelübde, zu den
Meinen heimzukehren, wischte den Plan, nach Falkland zu reisen aus: und ich blieb nun wieder ruhig in
meiner Werkstätte. Es wurde weiter auch nicht mehr
nach mir gefragt: all die Werberey nach Falkland
war Betrug, nicht von Seiten des Herzogs oder Grafen. Der Commissar war ein Spizbube. Ein paar
Jahre darnach kehrte ich heim zu den Meinen, — und
arbeitete nebst meinem Bruder in meines Vaters
Werkstätte. Kaum war ich zu Hause, so ließ mich einer — meiner Jugendgenoßen, Namens H., mit dem
ich aufs vertrauteste gelebt hatte, zu sich rufen, und
unsere Vertraulichkeit kam wieder auf alten Fuß. Ich
bekam wieder Bücher, und die Lust zu lesen wurde
aufs neue in mir rege: denn all die sieben Jahre meiner Wanderschaft habe ich nicht sieben Oktavseiten gelesen. Gedichte waren mir das liebste; wie sie's schon
in meinen Schuljahren mir waren, da ich so gar den
4ten Gesang der Meßiad unsers grossen Klopstocks vorzüglich liebte, ohne daß ich eine Sylbe von dem We-

sen der Poesie wußte. Blos die Beschreibungen, Gleich-
nisse und Reden darinn bewunderte ich, ob ich gleich
nicht anders sagen konnte, als ich fühlte ihre Schönheit. — Nun fieng ich an zu lesen, zuerst mit unsern
sanften frommen Gellerts Fabeln. Dann kamen mir
Uzens Oden in die Hand. — Wie viel ich aber damals las? — O das verdient nicht Lesen zu heißen.
Und beynahe wäre ich — auch um dieses bißchen Lesen gekommen. — Meine Lust zum Lesen vermehrte
sich indessen immer: ja ich bekam selbst einmal Lust,
Verse zu machen. Die Gelegenheit dazu gab mir der
jüngere Bruder meines Freundes H., da er mich seine
Bücher sehen ließ. Wer einmal A sagt, der — muß
auch B sagen, heißt es, als ich solche zeigte; du mußt
öfters Verse machen. Das that ich nun. Nicht sehr
lange darnach kam unser armer gefangener Schubart
hieher. Während Zeit seines hiesigen Aufenthalts
mußt er ein Blatt in seine Chronik liefern: und dazu
hätte er gerne jemand gehabt, — dem er dik-
tiren könnte. Mein Bruder schlug mich ihm
vor, und sagte ihm dabey aus Scherz, daß ich
auch Verse mache. Ich mußte ihm schreiben, und darnach auch meine Verse zeigen. Zu meinem Erstaunen
munterte er mich auf fortzufahren. Als er von hier
wieder abreiste, mußte ich — ihm meine Geburten mit-
geben: und siehe da, nicht lange darauf kam ein Ge-
dicht von mir in seiner Chronik. Mir war's, als
hätt ich einen neuen Orden bekommen. Durch ihn
ward ich also in und außer meiner Vaterstadt zuerst
bekannt, und viele edle Seelen neigten sich zu mir und
liebten mich. Man munterte mich auf, das Handwerk
zu verlassen und Lehrstunden anzunehmen: denn es hieß,

ich hätte Gaben dazu: und weil ich damals schon stark an meiner Augenkrankheit litt, versuchte ich es: — also kam ich nach und nach darein, daß ich nun ein Hauslehrer bin, welches Geschäfft mir einen sehr sparsamen Unterhalt verschaft. Aber ich darf Ihnen wohl sagen, daß Kopf und Herz nicht sonderlich viel gewinnt, wenn man den lieben ganzen Tag mit A, B, C, und und d a ß das, und Mensa æ, und amo âre zubringen muß. Ich kann Sie versichern, daß ich oft so troken bin, daß ich Zeit und Gewalt brauche, etwas mit Empfindung zu lesen und zu schreiben. Inzwischen hat es sich schon zweymal ereignet, daß ich aus meiner Vaterstadt hätte kommen sollen. Daß mir Gott die Herzen vieler Rechtschaffenen auch ausser meinem Vaterlande zugeneigt hat, habe ich schon mit den edelsten Beweisen erfahren. Ein Beyspiel! — In einem benachbarten Reichsstädtchen ist ein Bürger Namens D. ein Hufschmied: er ist ein rechtschaffener Mann, angesehen daselbst, und ein Vorsteher der Kirche. Wir haben uns in unserm ganzen Leben nicht gesehen: und er hat doch gesucht, wo möglich seine Liebe thätig mir zu beweisen. Dieser Rechtschaffene gab sich alle Mühe, mit Hülfe des Oberpfarrers seines Orts mir einen Schuldienst im Wirtenbergischen, der damals ledig war, zu erwerben. Es kam auch würklich so weit, daß nur ich und der Sohn des Verstorbenen in die Wahl kam. Der Sohn, als Einheimischer, und Sohn des verstorbenen, bekam das Uebergewicht. Er verdiente es auch gewiß vor mir! war gewiß tüchtiger dazu, als ich. Nicht lange darnach starb mein Vater: und mein Bruder, der kaum von einer Todeskrankheit sich mühselig erholt hat, — führte das Handwerk fort: aber ein einziges Jahr darauf mußte der Gute auch sterben. Ein zweifelhafter Fall, stark genug mich in große Verlegenheit zu bringen. Zu meinem Handwerk zurückzukehren? dazu rieth mir fast Niemand, selst meine Mutter wollte es nicht. Ich blieb daher nun beym Hausunterricht; und helfe meiner Mutter im Handwerk, so viel ich darneben kann. Bey meiner Obrigkeit bin ich anheischig: denn sie hat mich durch den Herrn Superintendenten examiniren laßen, auf die Weise, wie man einen examinirt, wenn man einem Hofnung macht, einmal teutscher Schulmeister zu werden. Ob ich mich nun darauf verlassen kann, wird die Zeit lehren. Ich trollte meinen Gang eine Weile so ganz gelassen fort, und siehe! da kam mir wieder etwas in Weg, daran ich meine Nase stieß. Mein verehrungswürdiger Freund Herr Prediger Schellhorn bekam einen Brief, darinnen ich nach Stuttgart in die herzogliche Militair-Academie berufen würde. Ich sollte nemlich daselbst Aufseher werden*), in Anfangsgründen unterweisen, wofür mir zugleich auch gute Belohnung verheissen ward. Ich gieng mit mir selber und mit meinen guten Freunden hierüber zu Rath, wie's einem ehrlichen Kerl zusteht. Es kam mir dies und das zubeherzigen in Sinn. Soll ich von meiner alten Mutter weg? sie allein lassen, da

---

*) Oder wie man jezt mit großem Unrecht sagt: Hofmeister werden. Bis jezt bestanden diese aus Korporalen, Wachtmeistern und Sergeanten der herzoglichen Regimenter, die vor ihrer militärischen Laufbahn Schaafknechte, Strumpfstricker, Jesuiten oder — unbrauchbaren Schulmeister waren. D. H.

 U

ſe ſchon einen Fuß im Grabe hat? Und wenn auch, werden meine kranke Augen nicht einen widrigen Eindruck an dieſem Hofe machen? Es ſteht dahin, ob meine Hochgelehrheit auch der Erwartung daſelbſt entſpreche? und daß ſich mein alter ungezwungener Körper nicht wohl mehr anzuſchicken im Stand iſt, als zu ſtehen, zu gehen, zu ſchmücken und putzen, wie es in der W . . . . ſchen Militärakademie üblich iſt, das glaube ich ſteif und feſt. Und als ich das und noch mehr dazu ſo bey mir ſelbſt erwogen habe, ſo faßte ich den Entſchluß, daheim zu bleiben, und in Gedult zuwarten, bis mir ſonſt geholfen wird.

Chriſtoph Städele.

In einem Briefe an mich ſchreibt der Edle: „Nicht „Nachläßigkeit iſt Schuld, daß ich Ihnen ſo lange „nicht antworte, ſondern Zerſtreuung, die mir oft un- „entbehrlich, oft unvermeidlich und durch Gewohnheit zur „andern Natur geworden iſt. Oft wenn ich am Beſten auf- „gelegt bin, etwas — für mich auszuarbeiten, kommen „tauſend Hinderniſſe dazwiſchen. Bey Nacht bin ich we- „gen meiner Augenkrankheit — zu Allem invalid. „Bey meiner Mutter kann ich nichts für mich thun. „Wo ich hinblicke, ſperren Nahrungsſorgen ihre hohlen „Augen gegen mich auf, und jeder Gegenſtand greift „mir das Herz ſo an, daß ich kaum vermögend bin, „etwas zu leſen, geſchweige zu ſchreiben.“ — Ich will den Gemeinplatz nicht wiederkäuen: „Daß der beſte Kopf — in Teutſchland bey all ſeinem Genie

ganz kommod verhungern könne" — Aber aufrufen
mögt ich einige unserer eblern Landsleute, das drücken-
de Schicksal eines Mannes erleichtern zu helfen, —
der gewiß Unterstützung verdient.

Der Herausgeber.

II.

Konstanz.

Einem Ungenannten hat es beliebt, durch den
Kanal der Augspurgischen Zeitung, die im Maschen-
bauerschen Verlag erscheint, in's Publikum die Nachricht zu verbreiten: Herr Professor Pizenberger habe
sich der kaiserlichen Verordnung, die Studiengelder
betreffend, widersezt, und sich dadurch den Zorn seiner
Studenten so sehr auf den Hals geladen, daß diese
im heiligen Eifer dem guten Professor die Fenster eingeschmissen, und sogar seine Person anzupacken
gedroht. — Nun ist's zwar ganz gewöhnlich, daß Mitglieder des Studentenpöbels etwa ihren Lehrern die
Fenster einschmeissen, und also — keine grosse Zeitungs-
Neuigkeit, aber — die ganze Sache ist eine notorische
Lüge — und ich halte so lange den Verfasser jenes
Zeitungsartikel füs einen armseligen Lügner, bis er —
sich genannt hat.

U. B. R.

Ode

auf den
Herzog
Maximilian Julius Leopold
von
Braunschweig. *)

Multis ille bonis flebitis occidit.

HORAT.

„Ach, unser Prinz!" — Das war der Jammerton,
  Der laut von jeder Lippe tönte,
Als Leopold sein Leben — o so schön! —
  Mit einem grossen Tode krönte.
Wer nie gefült, empfand zum erstenmal,
  Wer nie gebebt, dem zitterten die Glieder;
Dem Krieger selbst, ergraut im Pulverdampf,
  Stürzt' eine heisse Thräne nieder.

---

*) Diese Ode ist keine von denen, die um den ausgeschriebenen Preis streiten, oder gestritten haben. Der Verfasser war noch in keinem Fall so selbst vertrauend, daß er hoffen könnte, der erste unter den Kämpfern zu seyn, und dann konnt ers nicht über sich gewinnen, diesen Fürsten um Geld zu singen. Allein seinem Herzen hat er doch nicht verwehren können, das Gefül für den edeln Prinzen im Gesang auszuströmen, und theilt seine Ode dem Publikum mit, weil sie vielleicht ein und dem andern gefallen könnte.

Rühmt, Dichter! Helden, die der Tod in Staub
  Im Schlachtgefilde hingestrecket,
Von feindlichem Gewehr in dem Tumult
  Mit rothen Wunden überdecket:
Mehr werth ist mir der Name Leopolds,
  Er starb im Dienst der Menschenliebe,
Den edeln Tod. — Wer so sich opfern kann,
  Deß Herz fült nicht gemeine Triebe.

Hoch bäumte sich der Oder wilde Flut, *)
  Ein Schauer fuhr durch Aller Glieder.
Bald tobt das Wasser wütend himmelwärts,
  Bald stürzt es schäumend sich hernieder,
Reißt Brücken ein, zerstört der Häuser Grund,
  Durchbricht den Damm, die Wogen toben,
Hier schwimmt ein Kahn, bald decket ihn die Flut;
  Bald sieht man ihn empor gehoben.

Hier sinkt ein Baum und dorten stürzt ein Haus
  Mit Krachen ein. — Die Wellen schlagen
Am Ufer an. — Dort winseln Säuglinge,
  Wer wird es, sie zu retten, wagen?
Laut heult der Sturm in dem Gefild umher,
  Zerstört den Mut, betäubt die Ohren.
Noch lauter heult das Volk aus dumpfer Brust:
  Weh uns, o Gott, wir sind verloren!

---

*) Am 27. April des Jahrs 1785.

Hier schreyt ein Greis auf seines Hauses Dach,
    Dort ringt ein Mädchen bang die Hände.
Hier seufzen Kranke laut zum Himmel auf,
    Und stehen ängstlich um ihr Ende.
Nichts dämmt die Wut der Wellen. — Wilder tobt
    Der Wind und stärker wird das Krachen,
Als wollte schon mit allen Schrecknissen
    Der Tag des Richtenden erwachen.

Da stand der Held und sah dem Jammer zu,
    Schnell fieng sich an die Brust zu heben.
„Ich will sie retten, will es! ruft er aus,
    „Hier, Freunde, gilts um Menschenleben!“
Sprichts; denkt im Surm der edeln Leidenschaft
    Nicht seiner mehr, — und mutig springet
Er in den Kahn, indeß ein ganzer Schwarm
    Sich her, ihn abzuhalten, dringet.

„Hier gilts kein, Säumen! Vater; führet mich!“
    Spricht er zum Schiffer. — Schnelle flieget
Der Nachen fort. — Das Volk blickt ängstlich nach,
    Von Furcht und Hofnungen gewieget.
Beynahe schwand schon jegliche Gefar,
    Schon hört man jede Klage schweigen.
O Gott! bald sind sie nahe jenem Ort,
    Zum Jammer enden auszusteigen.

Hier stund ein Baum, an diesen treibt die Flut
    Den Nachen an, der sie getragen.
Er sträubt sich — prellt zurück — fährt wieder an,
    Und — Gott! — jezt ist er umgeschlagen.
„Ach unser Prinz! so schallt der Jammerton,
    Und niemand weiß sich mehr zu fassen.
Am Ufer tönt es fürchterlich: „Der Prinz!"
    Und fürchterlich in allen Gassen.

Kein Mensch denkt mehr der allgemeinen Noth,
    Denn schmerzlicher ist diese Wunde.
„Ach, unser Vater! Gott! er ist nicht mehr!"
    So tönt es, wie aus einem Munde.
„O! rettet, rettet ihn!" — doch nur umsonst,
    Der Menschenfreund ist schon verschwunden.
Der Helfer, der für andre sich gewagt,
    Hat in der Flut den Tod gefunden.

Wohl Dir, o Prinz! Du bist belohnt, belohnt
    Für jede Deiner schönen Thaten!
Für deinen Muth, für jeden Tropfen Schweis,
    Für helfen, retten, trösten, rathen.
Dein Momument steht fest in jeder Brust,
    Das kein Jahrhundert mehr verwüstet,
Es eifert Dir hinfort ein jeder nach,
    Den nach der Tugend Kranz gelüstet.

Wie war dir da, als nach dem heissen Kampf,
　Der Richter von dem Sonnenthrone
Dir lächelte; als du aus seiner Hand
　Empfiengest die crystallne Krone?
Wie war Dir, in des ersten Welfen Blick,
　Mit Flammenschrift gemahlt zu lesen:
„Komm her mein Sohn, Dein ist die Ewigkeit,
　Du bist der Väter werth gewesen!“

O weine nicht, du, die den edeln Mann,
　Den grossen Leopold geböhren!
Für Tausende, die Gram und Noth gedrückt,
　Vom Himmel selbst zum Retter auserkohren.
Wenn einst auch die, nach wohl vollbrachtem Lauf,
　Die Engel Jubelhymnen singen;
Dann, freue Dich, dann wird er wonnevoll
　Die Palme Dir entgegen bringen!

Wagenseil.